INTERNACIONALISMO OU EXTINÇÃO

Noam Chomsky

INTERNACIONALISMO OU EXTINÇÃO

Reflexões sobre as grandes
ameaças à existência humana

Tradução
Renato Marques

CRÍTICA

Copyright © L. Valéria Galvão Wasserman-Chomsky, 2020
Copyright © Editora Planeta do Brasil, 2020
Publicado em acordo com Metropolitan Books, uma divisão da Henry Holt and Company, LLC, Nova York.
Todos os direitos reservados.
Título original: *Internationalism or extinction*

Preparação: Ana Tereza Clemente
Revisão: Thais Rimkus e Fernanda Guerriero Antunes
Diagramação: Maria Beatriz Rosa
Capa: Departamento de criação da Editora Planeta do Brasil
Imagem de capa: smile3377 / Adobe Stock

Dados Internacionais de Catalogação na Publicação (CIP)
Angélica Ilacqua CRB-8/7057

C474q
Chomsky, Noam,
    Internacionalismo ou extinção / Noam Chomsky (1928-); tradução Renato Marques. – São Paulo: Planeta, 2020.
    128 p.
 	
    ISBN 978-65-5535-029-6
    Tradução de: *Internationalism or extinction*
 	
    1. Ecologia humana 2. Mudança climática 3. Extinção humana I. Título II. Marques, Renato	

20-1805	CDD 304.2

Índices para catálogo sistemático:
1. Ecologia humana

2021
Todos os direitos desta edição reservados à
EDITORA PLANETA DO BRASIL LTDA.
Rua Bela Cintra 986, 4º andar – Consolação
São Paulo – SP CEP 01415-002
www.planetadelivros.com.br
faleconosco@editoraplaneta.com.br

Sumário

CORONAVÍRUS: O QUE ESTÁ EM JOGO?..................7
INTRODUÇÃO 23
1. DUPLA AMEAÇA..................37
2. COMO CONVENCER PESSOAS 63
3. PENSANDO ESTRATEGICAMENTE 79
4. REFLEXÕES ATUALIZADAS SOBRE MOVIMENTOS..................93
5. A TERCEIRA AMEAÇA: O ESVAZIAMENTO DA DEMOCRACIA . 105
6. PARA SABER MAIS 117
ÍNDICE REMISSIVO 121

PREFÁCIO

Coronavírus
O que está em jogo?

Entrevista* concedida em 28 de março de 2020 ao canal oficial do YouTube do DiEM25** – Movimento Democracia na Europa 2025. O entrevistador é o filósofo e ativista político croata Srećko Horvat.

SREĆKO HORVAT – Bem-vindos a mais um episódio de "O mundo depois do corona". Estou muito feliz e honrado por este episódio, porque há um convidado especial juntando-se a nós hoje. E esse

---

* Entrevista disponível em: https://www.youtube.com/watch?v=t-N3In2rLI4; acesso em: abr. 2020.

** DiEM25 – em inglês, Democracy in Europe Movement.

convidado especial é um herói não apenas meu, mas de muitas gerações. Infelizmente, nós dois estamos em autoisolamento. Ele é Noam Chomsky. Olá, Noam. Você poderia nos dizer onde você está em isolamento?

NOAM CHOMSKY – Bem, estou em Tucson, Arizona, em autoisolamento no momento.

HORVAT – Você nasceu em 1928 e escreveu seu primeiro ensaio, até onde eu sei, quando tinha apenas 10 anos de idade, que foi um ensaio sobre a Guerra Civil Espanhola. Você sobreviveu à Segunda Guerra Mundial, Hiroshima, foi testemunha de eventos políticos e históricos muito importantes, da Guerra do Vietnã à crise do petróleo, até a queda do Muro de Berlim. Antes disso, você foi uma testemunha de Tchernóbil; depois, nos anos 1990, você testemunhou um momento histórico que levou ao 11 de setembro. Estou tentando realmente encurtar uma longa história que é a vida de alguém como você, mas o evento mais recente foi o colapso financeiro de 2007 e 2008. Nesse cenário de uma vida tão fecunda e de ser uma testemunha e também um ativo ator nos principais processos históricos, como você vê a atual crise de coronavírus? É um evento histórico sem precedentes, é algo que o surpreendeu? Como você vê isso?

CHOMSKY – Devo dizer que minhas primeiras lembranças, que me assombram agora, são da década de 1930. O artigo que você mencionou sobre a queda de Barcelona girava em torno de um tema principal, a propagação, aparentemente inexorável, da praga fascista por toda a Europa, e que fim isso teria. Bem tarde descobri, quando documentos internos foram divulgados, que o analista do governo dos EUA, na época e nos anos seguintes, esperava que a guerra ia terminar, que o fim da guerra estava próximo, que por fim a guerra acabaria com o mundo dividido em uma região dominada pelos EUA e uma região dominada pela Alemanha. Portanto, meus temores de infância não eram inteiramente disparatados. E essas lembranças voltam agora. Eu consigo me lembrar de que, quando criança, ouvindo pelo rádio os discursos de Hitler em Nuremberg, eu não conseguia entender as palavras, mas dava para compreender facilmente o estado de ânimo, a ameaça. Devo dizer que ouvir os comícios de Donald Trump hoje evoca aquela mesma sensação. Não que ele seja um fascista. Ele não tem tanta ideologia, é apenas um sociopata; não passa de um indivíduo preocupado consigo mesmo. Mas o clima geral e os medos são semelhantes, e a ideia de que o destino do país e do mundo está nas mãos de um bufão sociopata é espantosa.

O coronavírus é bastante sério, mas vale lembrar que há um horror muito maior se aproximando. Estamos correndo para a beira do desastre, muito pior do que tudo o que já aconteceu na história da humanidade. E Donald Trump e seus lacaios estão na ponta, liderando a corrida para o abismo.

De fato, estamos diante de duas imensas ameaças. Uma é a crescente ameaça de guerra nuclear, que foi exacerbada pela ação de Trump, que reduziu a frangalhos o que restava do regime de controle de armas. E a outra é a crescente ameaça do aquecimento global. Ambas as ameaças podem ser enfrentadas, mas não há muito tempo. E o coronavírus é uma praga horrível que pode ter consequências terríveis. Mas haverá recuperação, ao passo que para as outras ameaças não há recuperação; é o fim. Se não lidarmos com elas, acabou.

As lembranças da minha infância estão voltando para me assombrar, mas em uma dimensão diferente. Você pode ter uma ideia de onde o mundo realmente está se olhar para o início de janeiro deste ano. Como talvez você saiba, todos os anos o Relógio do Juízo Final é ajustado, com o ponteiro dos minutos definido a uma certa distância da meia-noite, o que significa a extinção. Mas, desde que Trump foi eleito, o ponteiro dos minutos está se aproximando cada vez mais da meia-noite. No ano passado, foi adiantado para dois minutos para a meia-noite. Nunca esteve tão perto do desastre definitivo. Este ano, os analistas dispensaram os minutos e começaram a posicionar o ponteiro do relógio em segundos: cem segundos para a meia-noite. É o mais perto que já estivemos da extinção.

Eles citam três coisas: a ameaça da guerra nuclear, a ameaça do aquecimento global e a deterioração da democracia – que não parece exatamente fazer parte da discussão aqui, mas faz, porque a democracia em funcionamento é a única grande esperança que temos para superar a crise – a democracia de verdade, na qual o povo assume o controle de seu destino. Se isso não acontecer, estamos condenados. Se deixarmos nosso destino nas mãos de palhaços sociopatas, é o nosso fim. E estamos chegando perto disso. Trump é o pior, por causa do poderio dos EUA, que é esmagador. Falamos sobre o declínio dos EUA, mas basta você dar uma olhada para o mundo, e você não vê isso. Quando os EUA impõem sanções, sanções devastadoras e assassinas – e são o único país que pode fazer isso –, então todos têm que obedecer. A Europa pode não gostar das ações contra o Irã – na verdade, pode até odiar –, mas todos os países têm que obedecer, devem obedecer ao "mestre", ou então são expulsos do sistema financeiro internacional. Isso não é uma lei da natureza, é uma decisão da Europa subordinar-se ao "mestre" em Washington. Outros países nem sequer têm escolha.

Voltando ao coronavírus, um dos aspectos mais repugnantes e cruéis da pandemia é o uso, perfeitamente deliberado, de sanções para maximizar a dor. O Irã está em uma zona de enormes problemas internos. O que é agravado pelo opressivo estrangulamento das mais rigorosas sanções, que são estipuladas de caso pensado, abertamente para fazer os iranianos sofrerem, e sofrerem amargamente agora. Cuba vem sofrendo com as sanções e a guerra terrorista por parte dos EUA praticamente desde o momento em que conquistou a independência. Mas é surpreendente que os cubanos tenham sobrevivido. Eles se mantiveram resilientes, e um dos elementos mais irônicos da atual crise de coronavírus é que Cuba está ajudando a Europa. Quero dizer: isso é tão chocante que você nem sequer sabe como descrever. Que a Alemanha não possa ajudar a Grécia, mas Cuba pode ajudar países europeus. Se você parar para pensar no que isso significa, todas as palavras falham, assim como quando você vê milhares de pessoas morrendo no Mediterrâneo, fugindo de uma região devastada há séculos pela Europa e sendo enviadas para a morte no Mediterrâneo. Você não sabe que palavras usar para descrever isso.

A crise civilizacional do Ocidente, neste momento, é devastadora e com efeito traz à tona memórias de infância de ouvir Hitler vociferando no rádio para multidões estridentes nos comícios de Dortmund e Nuremberg. Tudo isso faz você parar para pensar e se perguntar se esta espécie é sequer viável.

HORVAT – Você mencionou a crise da democracia. Neste momento, acho que nos encontramos também em uma situação historicamente sem precedentes, no sentido de que quase 2 bilhões de pessoas estão de uma ou de outra forma confinados em casa, seja em isolamento, autoisolamento ou quarentena. Quase 2 bilhões de pessoas no mundo estão em casa, se tiverem sorte o bastante para ter uma casa. Ao mesmo tempo, o que podemos testemunhar é que a Europa, mas também outros países, fechou suas fronteiras não apenas internas, mas também externas. Há um estado de exceção em todos os países, toque de recolher, o Exército nas ruas.

E o que eu quero perguntar a você, como linguista, é sobre a linguagem que está circulando agora. Se você ouvir não apenas Donald Trump, se você ouvir [Emmanuel] Macron [presidente da França] e também alguns outros políticos europeus, ouvirá que eles falam constantemente sobre "guerra". E até mesmo a mídia fala sobre médicos que estão na primeira "linha de frente", e o vírus é chamado de "inimigo". O que também me lembrou um livro de Victor Klemperer [1881-1960], Lingua tertii imperii *(A linguagem do Terceiro Reich),* que é um livro sobre a linguagem do Terceiro Reich e sobre o modo como, por meio da linguagem, a ideologia [nazista] foi imposta. Então, no seu ponto de vista, o que esse discurso sobre a "guerra" nos diz, e por que eles apresentam um vírus como "inimigo"? É apenas para legitimar o novo estado de exceção, ou há algo mais profundo nesse discurso?*

CHOMSKY – Bem, neste caso, creio eu, claro que há a retórica, mas acho que não é exagerada. Tem algum significado. O significado é que, se queremos lidar com a crise, temos que mudar para algo como mobilização de tempo de guerra. Peguemos um país rico, como os Estados Unidos, que têm os recursos para superar os aspectos econômicos imediatos. A mobilização para a Segunda Guerra Mundial levou o país a uma dívida muitíssimo maior do que a que se contempla hoje,

---

* Edição brasileira: *LTI: A linguagem do Terceiro Reich*. Tradução de Miriam Bettina Paulina Oelsner. Rio de Janeiro: Contraponto, 2009. (N.T.)

no que diz respeito à economia, e foi uma mobilização muito bem-sucedida, praticamente quadruplicou a produção industrial dos EUA, acabou com a Depressão. Deixou o país afundado em uma dívida enorme, mas com capacidade de crescer. Isso é menos do que precisamos, provavelmente não nessa escala. Não que estejamos em uma guerra mundial, mas precisamos da mentalidade de uma mobilização social para tentar superar a crise de curto prazo, que é grave. A extensão da gravidade [não sabemos].

Além disso, podemos lembrar a epidemia de gripe suína em 2009, que se originou nos EUA. Duzentas mil pessoas morreram em todo o mundo no primeiro ano. O mundo se recuperou. Nos EUA, a recuperação não foi difícil. É um país rico. Mas o que acontece em lugares como Índia, África e América Latina, em que a pobreza é terrível, com vastas favelas onde as pessoas não podem ser isoladas e morrerão de fome? Em um mundo civilizado, os países ricos estariam dando assistência aos países necessitados, em vez de estrangulá-los, que é o que estamos fazendo, principalmente na Índia, mas também em grande parte do mundo. Se essa crise pode ser superada em um país como a Índia, eu não sei. Tenha em mente que, com as tendências atuais, se elas persistirem, o sul da Ásia será inabitável em algumas décadas. A temperatura atingiu 50 graus no Rajastão neste verão e está aumentando. A situação da água agora pode ficar ainda pior; existem duas potências nucleares e elas vão lutar por restringir o já reduzido suprimento de água. Quero dizer, o coronavírus é muito sério, não podemos subestimá-lo, mas temos que nos lembrar de que é uma fração, uma pequena fração das grandes crises que estão por vir. Elas podem até não desestruturar a vida na mesma medida que o coronavírus está fazendo hoje, mas tirarão a vida dos eixos, a ponto de tornar a espécie incapaz de sobreviver, e não em um futuro muito distante.

Portanto, temos muitos problemas para enfrentar: problemas imediatos como o coronavírus, que é sério e precisa ser resolvido; e problemas muito maiores, infinitamente maiores, também são iminentes.

Agora há a crise civilizacional. Temos o tempo disponível para possivelmente pensar em um lado bom do coronavírus, pois ele poderia levar as pessoas a pensar sobre que tipo de mundo queremos. Queremos o tipo de mundo que resulta nisto?

E devemos pensar nas origens dessa crise. Por que está havendo uma crise de coronavírus? É um colossal fracasso do mercado exacerbado pela selvagem intensificação neoliberal de profundos problemas socioeconômicos. Já se sabia havia muito tempo que as pandemias são muito prováveis, e já existia o entendimento de que provavelmente haveria uma pandemia de coronavírus, com pequenas modificações da epidemia de SARS, ocorrida quinze anos atrás. Naquela época, o problema foi superado, os vírus foram identificados, sequenciados, vacinas poderiam ter sido disponibilizadas. Laboratórios em todo o mundo poderiam estar trabalhando desde aquele momento no desenvolvimento de proteção para potenciais pandemias de coronavírus. Por que não fizeram isso? Os sinais do mercado estavam errados. As empresas farmacêuticas para as quais entregamos nosso destino sustentam tiranias privadas, corporações que não prestam contas ao público – neste caso, a Big Pharma, os grandes laboratórios farmacêuticos multinacionais. Para eles, é melhor produzir novos cremes para o corpo, é mais lucrativo do que encontrar uma vacina que proteja as pessoas da destruição total.

Teria sido possível para o governo intervir, voltando à mobilização de tempo de guerra. Foi o que aconteceu com a poliomielite; na época, lembro muito bem, era uma ameaça aterrorizante, e foi encerrada pela descoberta da vacina Salk, por uma instituição governamental criada e financiada pelo governo [de Franklin] Roosevelt. Nada de patentes, disponível para todos. Isso poderia ter sido feito desta vez, mas a praga neoliberal impediu.

Estamos vivendo sob uma ideologia, pela qual os economistas têm uma boa dose de responsabilidade, embora isso venha do setor corporativo. Uma ideologia tipificada por Ronald Reagan, lendo o roteiro que lhe foi entregue por seus mestres corporativos, com o sorriso radiante, dizendo: "O governo é o problema, vamos nos livrar do governo" – o que significa: "Vamos entregar as decisões a tiranias privadas, que não são obrigadas a prestar contas à opinião pública". Do outro lado do Atlântico, Margaret Thatcher [primeira-ministra do

Reino Unido de 1979 a 1990] estava nos instruindo de que "não existe sociedade", apenas indivíduos jogados no mercado para sobreviver de alguma forma; e, além disso, não há alternativa. O mundo está sofrendo sob esse regime há anos. E agora chegamos a um ponto em que as coisas que poderiam ser feitas, a exemplo da intervenção direta do governo, são bloqueadas por conta de razões ideológicas oriundas da praga neoliberal. Na verdade, tornou-se ainda mais explícita e sem margem para ambiguidades em outubro de 2019. Houve uma simulação em larga escala, uma simulação de alto nível nos Estados Unidos, no âmbito da possível pandemia desse tipo. Nada foi feito.

Agora a crise foi agravada pela – que palavra usar? – traição dos sistemas políticos. Não prestamos atenção às informações das quais eles já tinham conhecimento. Em 31 de dezembro, a China informou a Organização Mundial da Saúde de sintomas parecidos com os da pneumonia, de etiologia desconhecida. Uma semana depois, cientistas chineses identificaram como um coronavírus. Além disso, eles o sequenciaram e deram a informação ao mundo. A essa altura, os virologistas e outros que se preocupavam e se davam ao trabalho de ler os relatórios da Organização Mundial da Saúde já conheciam as propriedades relevantes do coronavírus e sabiam como lidar com isso.

Eles fizeram alguma coisa? Bem, sim, alguns fizeram. Os países da região – China, Coreia do Sul, Taiwan, Cingapura – começaram a fazer algo e praticamente, ao que parece, meio que contiveram a propagação do surto do vírus, pelo menos na primeira onda da crise. Na Europa, até certo ponto, isso aconteceu. A Alemanha não se moveu com tanta rapidez, mas seus hospitais dispunham de instalações e capacidade de diagnóstico de sobra, e foi capaz de agir com eficiência, ainda que de maneira extremamente egoísta, sem ajudar os outros países, mas cuidando de si mesma pelo menos, o que resultou em razoável contenção e baixa taxa de mortalidade. Em outros países a reação variou. Um dos piores deles foi o Reino Unido, e o pior de todos foram os Estados Unidos, que por acaso são liderados por um sujeito que, você sabe, num dia, "não há crise, é apenas uma gripezinha", no dia seguinte, "é uma crise terrível, eu sabia o tempo todo", no dia seguinte, "temos que retomar os negócios, porque preciso vencer a eleição". A ideia de que o mundo está nessas mãos é atroz, mas a questão é que as raízes são muito mais profundas: um colossal fracasso do mercado, apontando para problemas fundamentais na ordem socioeconômica, bastante agravados pela peste neoliberal, e isso continua, por conta do colapso dos tipos de estruturas institucionais que poderiam lidar com o problema, se estivessem funcionando.

Esses são tópicos em que devemos pensar seriamente e nos quais devemos nos aprofundar. Como eu disse, em que tipo de mundo queremos viver? Quando superarmos a crise, haverá opções. As opções variam desde a instalação de Estados extremamente brutais e autoritários, que buscarão adotar uma forma ainda mais selvagem de neoliberalismo, até a reconstrução radical da sociedade em termos mais humanos, preocupada com necessidades humanas em detrimento do lucro privado. E devemos ter em mente que Estados extremamente cruéis e autoritários são bastante compatíveis com o neoliberalismo; de fato, os gurus do neoliberalismo, [Ludwig von] Mises, [Friedrich von] Hayek e o resto, estavam perfeitamente felizes com a opressiva violência estatal, contanto que desse sustentação ao que eles chamavam de "economia sólida". O neoliberalismo tem suas origens na Viena da década de 1920. A figura de proa, Ludwig von Mises, mal conseguia conter seu deleite enquanto o Estado austríaco protofascista esmagava os sindicatos e a social-democracia austríaca. Ele se filiou ao governo protofascista incipiente, elogiou-o, enalteceu o fascismo, na verdade, porque protegia a economia sólida. Quando Pinochet instalou no Chile uma ditadura brutal e assassina, todos eles adoraram, todos eles correram aos bandos para lá, para ajudar esse maravilhoso milagre, que estava gerando uma economia sólida, lucro formidável, para uma pequena parcela da população.

Portanto, não é impertinente, não é uma bizarrice pensar que um sistema neoliberal selvagem possa ser reinstalado por autoproclamados libertários com a imposição de uma poderosa violência estatal; essa é uma parte, um dos pesadelos que podem vir a acontecer. Mas não necessariamente. Existe a possibilidade de que as pessoas se organizem, se engajem, como muitos estão fazendo, e tragam à tona um mundo muito melhor, que também enfrentará os enormes problemas que teremos ao longo do caminho, os problemas da guerra nuclear – que está mais próxima do que nunca – e os problemas da catástrofe ambiental, da qual não há recuperação quando chegarmos a esse estágio. E isso não está longe, a menos que ajamos de maneira decisiva.

Vivemos um momento crítico da história humana não apenas por causa do coronavírus, que deve nos trazer a conscientização acerca das características ampla e profundamente falhas e disfuncionais de todo o sistema socioeconômico, as quais precisamos enfrentar, se houver um futuro em que seja possível sobreviver.

Portanto, isso pode ser um sinal de alerta e uma lição para lidarmos com o problema hoje ou impedir que ele exploda, [e] pensar em suas raízes e em como essas raízes levarão a mais crises, piores do que esta, a menos que sejam extirpadas imediatamente.

HORVAT – Como você vê o futuro da resistência social, em tempos de distanciamento social? E se isso levar mais alguns meses, para não mencionar talvez um ano ou dois, por estarmos principalmente em autoisolamento em casa, qual seria seu conselho para os progressistas em todo o mundo, ativistas, também intelectuais, estudantes, trabalhadores? Como se organizar nesta nova situação? E você poderia nos dizer se vê alguma esperança de que, em vez de rumar para um autoritarismo global, essa situação histórica aberta possa iniciar uma transformação radical do mundo, que passaria a ser verde, igualitário, justo e cheio de solidariedade?

CHOMSKY – Antes de tudo, devemos ter em mente que, nos últimos anos, tem havido uma forma de isolamento social que é muito prejudicial. Agora você entra numa lanchonete McDonald's e olha para um punhado de adolescentes, sentados ao redor da mesa, comendo um hambúrguer. O que você vê é que há duas conversas em andamento: uma espécie de discussão superficial entre eles, e uma outra que cada um está tendo no celular, com um indivíduo remoto, um amigo. Isso atomizou e isolou pessoas em um grau extraordinário. O princípio de Thatcher de que "não existe sociedade" se intensificou. A mídia social mal utilizada transformou as pessoas em criaturas muito isoladas, especialmente os jovens. Atualmente, existem universidades nos Estados Unidos onde as calçadas têm placas dizendo "Olhe para cima", porque cada jovem que anda por aí está absorto em seu celular. Isso é uma forma de isolamento social autoinduzido, que tem sido muito prejudicial.
Agora estamos em uma situação de verdadeiro isolamento social. Isso deve ser superado por meio da recriação de vínculos sociais, de qualquer maneira que possa ser feita, de qualquer modo possível, ajudando as pessoas necessitadas, entrando em contato com elas, desenvolvendo organizações, tornando--as funcionais e operacionais, fazendo planos para o futuro,

aproximando e reunindo as pessoas, como dá para fazer na era da Internet, para que participem, debatam e deliberem a fim de descobrir respostas para os problemas que elas enfrentam. Não é uma comunicação cara a cara, que para os seres humanos é essencial. Seremos privados por algum tempo da interação cara a cara – podemos colocá-la em modo de espera e encontrar outras maneiras de continuarmos sem ela e, na verdade, ampliar e aprofundar as atividades que estão sendo realizadas. Isso pode ser feito. Não será fácil, mas os humanos já enfrentaram problemas piores.

HORVAT – Posso fazer uma pergunta, já que estamos ambos em autoisolamento? Aquele som de antes, era um papagaio?

CHOMSKY – Sim, um papagaio bilíngue. Ele sabe dizer "Soberania para todo o povo" em português. Hilário. Brilhante.

HORVAT – Fascinante! Ótimo! Muito obrigado, Noam.

CHOMSKY – Tem mais sabedoria do que ouvimos de Washington.

Introdução

A urgência da "extinção iminente" não pode ser ignorada. Deve ser foco constante de programas de educação, organização e ativismo, e figurar como contexto e pano de fundo de mobilização em todas as outras lutas. No entanto, não substitui essas outras preocupações – em parte por causa da decisiva importância de muitas outras batalhas, em parte porque as questões existenciais não podem ser tratadas de maneira eficaz a menos que haja conscientização e compreensão geral acerca de sua urgência. Conscientização e entendimento que pressupõem uma sensibilidade muito mais ampla em relação às tribulações e às injustiças que assolam o mundo – um discernimento mais profundo, que pode inspirar ativismo e dedicação, uma percepção mais *aguda e perspicaz quanto a suas raízes e seus vínculos. Não faz sentido pedir militância quando a população não está pronta para ela, e essa prontidão deve ser criada com trabalho paciente. Isso pode ser frustrante ao levar em consideração a urgência das ameaças existenciais, o que é bastante real. Todavia, frustrantes ou não, essas etapas preliminares não podem ser omitidas.*

Noam Chomsky, dezembro de 2018

Introdução dos editores

Em uma nebulosa tarde de meados de outubro de 2016, pouco antes da fatídica eleição de novembro que empurraria Donald J. Trump para dentro da Casa Branca, uma numerosa multidão começou a se reunir em frente à histórica Igreja de Old South, em Boston. Em pouco tempo a aglomeração já ultrapassava dois quarteirões. Embora todos os envolvidos estivessem animadíssimos com as eleições prestes a acontecer, votar não era a única coisa que lhes ocupava a mente. Com alguns deles tendo atravessado fronteiras nacionais, todos estavam lá para participar de um "evento Chomsky" – título genérico das concorridas e marcantes palestras e conversas populares que ocorrem inúmeras vezes quando o renomado linguista e intelectual público concorda em se dirigir a uma plateia. Os jovens participantes que abarrotavam a calçada estavam prestes a interagir com Noam Chomsky e travar contato com as ideias dele da mesma forma que seus avós tinham feito cerca de meio século antes, quando Chomsky ajudou a lançar um substancial questionamento público à intervenção dos Estados Unidos no Vietnã, num momento em que o envolvimento estadunidense na Indochina se intensificava.* Depois de recorrer a fontes amplamente disponíveis, Chomsky estruturaria uma apresentação, composta em prosa eloquente ainda que econômica, de fácil

---

* Referência ao célebre ensaio de Chomsky "A responsabilidade dos intelectuais", originalmente publicado em 23 de fevereiro de 1967 na revista *The New York Review of Books*, durante a Guerra do Vietnã. O ensaio está no livro *O poder americano e os novos mandarins*. Rio de Janeiro: Record, 2006. (N.T.)

compreensão em termos de argumentação e vocabulário para a maior parte da plateia. Se esse "evento Chomsky" seguisse roteiros anteriores, indubitavelmente seria reservado um longo tempo para uma conversa em que o autor responderia a perguntas, ouviria comentários e, com pouca frequência, até mesmo objeções e chacotas da plateia. Cada resposta de Chomsky mereceria a mesma dose de calma e ponderada atenção com que ele profere a palestra em si. A única possível exceção seriam os tópicos que apelam a ele falar sobre *si mesmo*. Esses seriam tratados de modo diferente, ignorados, respondidos de forma superficial ou tangencial e, às vezes, habilmente descartados. O igualitário e democrático Chomsky parece considerar irrelevante esse tipo de informação. Os fatos e os argumentos que ele reúne a serviço das causas do povo tornam essas perguntas um tanto extravagantes.

A causa a ser discutida em outubro 2016 era um pouco diferente de muitas que Chomsky já havia examinado em palestras, aulas e textos ao longo dos últimos anos. Naquela noite, sem preocupação com esta ou aquela atrocidade ou transgressão cometida por alguma superpotência, Noam intitulou sua palestra "Internacionalismo ou extinção". Esta última palavra não se referia a nenhuma política externa ou doméstica ou desastre específico, mas às perspectivas de destruição de praticamente *todas* as formas de vida no planeta.

A multidão reunida para ver e ouvir Chomsky papeava, pacientemente e a meia-voz, para ajudar a passar os sessenta minutos que ainda faltavam antes de as portas finalmente se abrirem. O título da palestra era um óbvio aviso acerca do tópico apocalíptico que seria abordado. Mas como preparar uma plateia, por mais instruída que seja, para o fato de que o palestrante estava prestes a fazer os presentes refletirem sobre eventos com o potencial de aniquilar a maioria das espécies do planeta, incluindo todos que ali estavam? A experiência da plateia que naquele dia aguardava a palestra de Chomsky é a do presente leitor, diante de um livrinho fino anunciado por um título tão intimidador quanto qualquer outro que se oferece ao público moderno.

No entanto, é esta a promessa de Noam Chomsky: fatos difíceis e estruturas sociais imponentes são, todos, suscetíveis à razão humana. Calma deliberação, diálogos entre perspectivas, argumentos e conceitos formulados com clareza, narrativas históricas sem adornos, questionamento estratégico e engajamento coletivo para persuadir e/ou pressionar e/ou superar as fontes da destruição fazem parte do comprometimento *ativista* implícito e tácito de uma palestra de Chomsky.

Este livro resulta do "evento Chomsky". O Capítulo 1 consiste na palestra original, complementada por notas editoriais que apontam o leitor para materiais e fontes de pesquisa adicionais. O Capítulo 2 traz a transcrição de uma conversa no evento com Wallace Shawn, engajado ativista, mas que é mais conhecido como talentoso dramaturgo e ator. Valendo-se de uma amizade iniciada na Nicarágua sandinista dos anos 1980, Wally Shawn refletiu sobre a palestra de Chomsky e o convidou a se debruçar sobre a sempre complicada e desafiadora pergunta: "Como convencemos as pessoas que não estão presentes aqui hoje a se importar, a agir?".

A resposta de Chomsky a essa pergunta deve ter parecido insatisfatória para o público e talvez até mesmo para o próprio Shawn. Chomsky os agraciou com uma explicação das várias oportunidades para a elaboração de tratados, bem como antecedentes históricos, justificativas e fundamentos lógicos para a ratificação de tais tratados. Em vez de uma atitude desdenhosa em relação à questão, Wallace Shawn e a plateia foram brindados com o que, em meio a tudo o que é proferido pelo ilustre pensador, parece ser o mais próximo de um "dogma chomskiano": *convencemos as pessoas a se importar e a agir apresentando-lhes fatos e oportunidades. Esses tratados eram oportunidades.* Se os ouvintes vão ou não tomar decisões e atitudes apropriadas não é algo garantido. Implicitamente, *a história está em nossas mãos, nossa criatividade... e nossos limites.*

Durante o debate com o público – cuja transcrição forma o Capítulo 3 – e após a conversa com Wallace Shawn, como acontece em todo "evento Chomsky", variações sobre essa pergunta e essa resposta se repetiram. Embora a resposta subjacente jamais se altere, cada resposta é rica em detalhes e cuidadosamente calcada em argumentos, respeitando a especificidade histórica de cada tópico e, portanto, os dilemas característicos daqueles que desejam intervir em relação ao tópico em questão. Nenhuma luta, por mais local e particular que seja, é tida como de menor importância ou deixa de receber atenção. O desafio dos pretensos agentes de mudanças é, então, articular as lutas específicas com as gerais, especialmente aquelas com que se defronta a humanidade como um todo.

A resposta direta de Chomsky, sugerida pelo respeito que ele tem para com as lutas locais, é *explicitamente* abordada no posfácio de Noam à palestra – o Capítulo 4 – e consiste em notas escritas por ele em 2019 para atualizar sua análise do período pós--eleitoral e dos dois primeiros anos do governo Trump. Conforme sinalizado em nossa citação na epígrafe, a ameaça de extinção não nega outras lutas, que talvez tenham um caráter mais imediato. Apesar disso, estas devem ser entendidas em sua relação com a luta universal mais ampla em nome da sobrevivência *com* justiça. Não se espera que as pessoas renunciem às necessidades imediatas ou a reivindicações históricas que passaram por um longo processo de desenvolvimento; em vez disso, devem ser articuladas e entremeadas com a luta contra a extinção. Uma substancial seção final – o Capítulo 5 – consiste em um novo discurso cuidadosamente elaborado por Chomsky para expandir o tema em uma *terceira* ameaça existencial: o esvaziamento da democracia, que, por sua vez, exacerba as mudanças climáticas e as ameaças nucleares.

E quanto à palestra principal, "Internacionalismo ou extinção"? Lançando mão de sua longeva oposição às armas nucleares, Chomsky apresenta a seu público mais uma ameaça ao "experimento humano de 200 mil anos de existência": a mudança climática. Ele observa a coincidência entre as duas ameaças, ambas surgidas após a Segunda Guerra Mundial (1939-1945). Nos meses anteriores à palestra, um grupo de trabalho no âmbito da União

Internacional das Ciências Geológicas (IUGS, na sigla em inglês) propôs o conceito de "Antropoceno" para indicar que a humanidade e seus sistemas sociais têm se tornado impactantes forças da natureza – como consequência, reestruturam o planeta no nível geomorfológico.

Outrora um obscuro conceito usado por cientistas soviéticos para sugerir impactos de longo prazo da humanidade como uma força da natureza, o Antropoceno penetrou no discurso acadêmico e nos meios de comunicação de massa como época sucessora do Holoceno, que começou aproximadamente 11 mil anos atrás. Os níveis de carbono na atmosfera, agora drasticamente mais altos que em qualquer ponto anterior da história humana, constituem uma medida objetiva e nítida desse impacto; atividades humanas, principalmente a queima de combustíveis fósseis, encabeçam esse índice, que ainda está em aceleração. Na palestra, Chomsky demonstra que essa história está entrelaçada com a então paralela ameaça de conflito nuclear capaz de decretar o fim da humanidade. Dentro da época do Antropoceno, os cientistas observaram o período de "grande aceleração", em que níveis de concentração de carbono começaram a sofrer um rápido aumento para mais de 400 partes por milhão (ppm), quantidade significativamente superior às 350 ppm que são consideradas um nível seguro. A aceleração teve início por volta de 1950.*

---

* Em março de 2019, o Instituto Scripps de Oceanografia em San Diego relatou níveis de carbono da ordem de 411,97 ppm, a partir de dados de março de

Entre cientistas ambientais e intelectuais públicos, debate-se em torno do argumento de que a designação "Antropoceno" não dá conta de propiciar uma percepção clara dos sistemas sociais que impulsionam essas ameaças de extinção. Um importante comentarista, o historiador ambiental Jason Moore, acredita que devemos definir o período que começa no fim do século XVIII como "Capitalistoceno", para indicar melhor as *causas* do caráter destrutivo da época.

Embora Chomsky não trate especificamente desse assunto no presente trabalho, ele pondera sobre dois elementos da interferência humana que dialogam com a questão. Em um caso, ele pede à plateia para "ponderar sobre o mais extraordinário dos fatos: uma das maiores e mais importantes organizações políticas do país mais poderoso da história do mundo está devotada à destruição de grande parte da vida na Terra". Aqui, ele chama atenção para o Partido Republicano e seu negacionismo e suas políticas ambientais proativamente destrutivas. A plateia de Chomsky talvez tenha perguntas sobre as forças que moldaram o Partido Republicano e o sistema mais amplo.

No segundo caso, Chomsky oferece uma resposta oblíqua, mas sugestiva. Ele cita James Madison, um dos "pais fundadores" e o quarto presidente dos Estados Unidos, sobre a "ousada

---

2017 na casa de 407,06 ppm. Disponível em: https://www.co2.earth/; acesso em: mar. 2020. Isso indica que, longe de limitar as emissões, o mundo continua trilhando o caminho da mudança climática irreversível e abrupta.

depravação dos tempos que correm", na qual "agiotas e corretores da Bolsa" (especuladores ricos em capital) fundem seu poder com o governo, tornando-se "ao mesmo tempo seu instrumento e seu tirano" e suplantando o governo do povo por meio de "clamores e conluios". Em outras palavras, nos primeiros dias da República estadunidense, interesses privados capturaram o Estado e o poder e alijaram os interesses do povo em favor de sua própria lógica de maximização de lucro.

Em contraste com esses interesses privados, que Chomsky analisa mais a fundo em outras obras (leia no Capítulo 6) e interesses "nacionais" correlatos dos Estados Unidos, o público tinha uma oportunidade de examinar as maneiras pelas quais a cooperação internacional surge a partir tanto de pressões da elite como de pressões democráticas. No entanto, conforme sugere a narrativa de Chomsky, até mesmo essas pressões foram insuficientes para proteger a humanidade e o planeta da ameaça de holocausto nuclear. Chomsky cita dois casos em que ações provocativas por parte dos Estados Unidos poderiam ter levado a uma escalada descontrolada com potencial de descambar em guerra nuclear. Nos dois exemplos, os tratados, mecanismos institucionais, não nos protegiam. Durante a chamada Crise dos Mísseis de Cuba da década de 1960 e a operação Able Archer nos anos 1980, decisões de oficiais das Forças Armadas de violar protocolos e *não* reportar a seus superiores ações ameaçadoras permitiram à humanidade viver outro dia. No caso da Able Archer, o tenente--coronel da força aérea soviética Stanislav Petrov não repassou a seus superiores a informação dos sistemas automáticos de detecção de que a União Soviética estava sob ataque de mísseis (violação de protocolo que nos salvou da provável destruição). Durante a crise dos mísseis, o oficial da marinha Vasili Arkhipov recusou-se a autorizar o lançamento de torpedos carregados com ogivas nucleares. Nesse caso, os protocolos funcionaram, mas foi por pouco. Dois outros oficiais a bordo do submarino nuclear haviam concordado com o lançamento, e felizmente o protocolo exigia que três oficiais aceitassem.

Se esses oficiais tivessem seguido procedimentos operacionais padrão de forma irrefletida, nem Chomsky nem sua plateia estariam vivos para ponderar sobre as ações desses militares ainda relativamente desconhecidos.

Ao valorizar essa resistência em nível individual, Chomsky comunica com êxito o tênue caráter de nossa sobrevivência e a necessidade de reconstrução da ordem internacional. Embora encontre esperança em algumas das elites mais racionais e esclarecidas e seus projetos – por exemplo, as iniciativas de pessoas como George Shultz (secretário de Estado durante a administração Reagan) em prol da interrupção da fabricação de armas nucleares e sua consequente supressão definitiva –, Chomsky tem plena consciência de que "não podemos esperar que sistemas organizados de poder resolvam agir e tomar as medidas apropriadas para lidar com essas crises, não a menos que sejam obrigados a fazê-lo por obra de constantes ativismo e mobilização populares". Como resultado, em tom de aprovação ele elege como exemplares e necessárias as "enormes mobilizações populares" do início dos anos 1980 em oposição ao desenvolvimento de armas nucleares.

Quando abriu o tempo para perguntas, Chomsky forneceu algumas informações reveladoras sobre seus posicionamentos. Em um relato a respeito do centro de pesquisa de armas, o laboratório Draper, ele explicou a lógica estratégica que dá consistência a sua perspectiva. Os liberais que se opunham à pesquisa no MIT financiada pelo Pentágono exigiram que tais atividades não fossem permitidas *no campus*. Os conservadores, por sua vez, viam com bons olhos que acontecessem dentro do *campus*. A posição "radical", com a qual Chomsky se identifica, é a de que, se as atividades tinham que acontecer, era preferível que acontecessem *no campus*, onde poderiam ser submetidas a escrutínio e debate. A falha da posição liberal, do ponto de vista de Chomsky, era que não eliminava a pesquisa, apenas a realocava além do alcance da resistência, cuja base estava no *campus*. Seguindo uma linha de raciocínio similar, pensar no que os ativistas deveriam exigir tanto em termos de movimento de base popular como em consonância com os atores estatais – ou até mesmo contra eles – revela que a apresentação de Chomsky é uma cuidadosa mistura de bem fundamentadas estratégias pragmáticas e ambições visionárias.

Quando o público começou a fazer fila para entrar no imenso santuário da igreja que sediou o evento, atravessou uma capela repleta de mesas e bancas com pessoal de diversas organizações, todas tratando de algum tema que, acreditava-se, valia a pena compartilhar com os participantes de um "evento Chomsky". Em outras palavras, se a palestra prometia uma síntese mais geral de muitas questões preocupantes, diversas outras lutas específicas estavam pegando carona nessa estrutura. Ao abrir o vídeo que complementa este livro, *Noam Chomsky – internacionalismo ou extinção* (disponível em *streaming* gratuitamente no site chomskyspeaks.org), há exemplos de diversas organizações mobilizadoras em torno do "evento Noam Chomsky". Entre elas, incluem-se grupos de solidariedade com Haiti e Venezuela, filiais locais de organizações pacifistas e antinucleares, movimentos de responsabilidade corporativa, projetos ambientais e organizações socialistas. O evento, o vídeo e a produção deste livro foram possíveis graças a uma doação do Fundo de Ação Wallace. Seu fundador, Randall Wallace, é um leitor meticuloso e de longa data de Chomsky. Coincidentemente, é neto de Henry Wallace, o primeiro vice-presidente de Franklin Delano Roosevelt, engenheiro agrônomo e pensador ecologista cuja candidatura à Presidência dos Estados Unidos, em 1948, alertava sobre a emergente Guerra Fria e suas consequências previsíveis – que Noam retrata com tanta competência neste livro.

Contra a análise sombria, mesmo diante de uma reflexão como esta de Chomsky, equilibrada por um otimismo fundamentado em resistência de baixo para cima, os leitores devem se perguntar, como alguém fez no salão naquele evento de 2016: "Como manter a esperança e o ânimo?". A resposta, caracteristicamente concisa, foi um simples: "Qual é a alternativa?". "Sem rendição!" foi a conclusão, não articulada com todas as letras, mas sentida na mente da maioria das pessoas presentes, como é de imaginar que seja a verdadeira reação dos leitores de Chomsky ao responder ao seguinte apelo por mobilização de emergência contra a sexta extinção em massa agora em andamento. Nas palavras dele, "as tarefas que temos pela frente são assustadoras e dificílimas e não podem ser adiadas".

Charles Derber, Suren Moodliar e Paul Shannon
Editores

CAPÍTULO 1

Dupla ameaça

Extinção e internacionalismo são dois temas unidos em um abraço fatídico desde o momento em que a ameaça de extinção se tornou uma preocupação bastante realista, em 6 de agosto de 1945, dia que jamais será esquecido por aqueles que estavam vivos na época e tinham os olhos abertos – um dia de que pessoalmente me lembro muito bem. Naquela data, constatamos que a inteligência havia inventado meios para dar fim ao experimento humano de 200 mil anos de existência.

Desde o primeiro momento, não havia dúvida de que a capacidade de destruir se intensificaria e seria disseminada para outras mãos – aumentando a ameaça de autoaniquilação. Nos anos que se seguiram, foi aterrador o registro de ocasiões em que escapamos por um triz, às vezes por acidente e erro, às vezes em casos apavorantes de imprudência – mas a verdade é que a ameaça vem crescendo de forma preocupante. Uma revisão do histórico revela claramente que escapar da catástrofe ao longo de setenta anos tem sido quase um milagre, e não se pode confiar que esses milagres se perpetuem.

Naquele funesto dia de agosto de 1945, a humanidade entrou em uma nova era, a era nuclear. É improvável que dure muito: *ou acabamos com ela, ou é bem possível que ela leve a nosso fim.* De imediato, ficou evidente que qualquer esperança de conter o demônio exigiria cooperação internacional. No outono de 1945, um livro pedindo um governo federal mundial alcançou o topo da lista dos mais vendidos – foi escrito pelo agente literário de Winston Churchill, Emery Reves.*

Albert Einstein foi apenas um dos que reagiram reivindicando um *governo mundial* – o que ele chamou de resposta política aos devastadores eventos de agosto de 1945. Eles reconheceram que se tratava de um ponto de inflexão na história humana e, talvez, o início de seu derradeiro estado. As esperanças de que as Nações Unidas cumprissem a função de governo mundial foram rapidamente frustradas – um importante tópico, não examinado aqui.

---

* Emery Reves, *The Anatomy of Peace*. s/l: Andesite, 2015 [1945] [ed. bras.: *A Anatomia da paz*. Trad. Constantino Ianni. São Paulo: Companhia Editora Nacional, 1946 (coleção Fórum Político, v. 3)].

Naquele momento não houve uma compreensão do fato, mas uma segunda e não menos decisiva nova era estava começando – uma era geológica chamada Antropoceno. É uma época definida pelo extremo impacto humano sobre o meio ambiente. É consensual que já entramos há muito nessa nova era, mas houve divergências entre os cientistas acerca de quando a mudança se tornou tão extrema a ponto de sinalizar o início do Antropoceno. Em abril de 2016, o Grupo de Trabalho do Antropoceno (AWG, na sigla em inglês), organização geológica oficial, chegou a uma conclusão sobre o início da era geológica. Durante o 35º Congresso Geológico Internacional, estudiosos e pesquisadores recomendaram que se considerasse como marco inicial do Antropoceno o período que começa após o fim da Segunda Guerra Mundial.*

De acordo com a análise deles, o Antropoceno e a era nuclear coincidem; trata-se de uma dupla ameaça à perpetuação da vida humana organizada. Ambas as ameaças são graves e iminentes. É amplamente reconhecido que entramos no período da sexta extinção em massa. De modo geral, atribui-se a quinta extinção, ocorrida 66 milhões de anos atrás, a um asteroide, um enorme asteroide que atingiu a Terra destruindo 75% das espécies. Isso pôs fim à era dos dinossauros e abriu caminho para a ascensão de

---

* Matt Edgeworth *et al.* Relatório do Segundo Encontro do Grupo de Trabalho do Antropoceno. *The European Archaeologist*, n. 47, 2016. Disponível em: http://nora.nerc.ac.uk/id/eprint/513430/1/Conference%20report_anthropocene_text%20(NORA).pdf; acesso em: mar. 2020.

pequenos mamíferos – e, finalmente, dos humanos, cerca de 200 mil anos atrás.

Não há de demorar muito para que a humanidade provoque a sexta extinção, cuja expectativa é ser semelhante em escala às anteriores, ainda que diferindo de maneira instrutiva. Nas extinções em massa que antecederam em muito o surgimento dos humanos, o tamanho do corpo não estava correlacionado com o aniquilamento. Era uma espécie de assassino com oportunidades iguais – independentemente do tamanho do corpo. Na sexta extinção, gerada pelo homem e que está a pleno vapor, os animais maiores são mortos de forma desproporcional.

Isso alarga um registro que remonta a nossos primeiros ancestrais proto-humanos. Esses hominídeos eram uma espécie predatória que causou danos significativos a grandes organismos, apagou do mapa muitos deles e quase deu cabo de si mesma. Faz muito tempo que não se coloca em dúvida a capacidade de os humanos destruírem uns aos outros em grande escala, processo que teve um pico hediondo no século passado. O Grupo de Trabalho do Antropoceno reafirma a conclusão de que as emissões de CO_2 causadas pelo aquecimento climático estão aumentando na atmosfera à taxa mais rápida em 66 milhões de anos.

Os pesquisadores citam um relatório de julho do ano passado (2016), de acordo com o qual as partículas de CO_2 atingiram mais de 400 partes por milhão (ppm), e o nível está subindo a um ritmo sem precedentes no registro geológico. Estudos subsequentes revelaram que esse número não era uma flutuação. Ele parece ser permanente, uma base para crescimento ainda maior, e esta cifra, 400 ppm, tem sido considerada um fator crítico, um ponto em que a segurança dá lugar ao perigo. Chega perigosamente perto do nível estimado de estabilidade do enorme manto de gelo da Antártida. O colapso da geleira continental teria consequências catastróficas para o nível dos mares, e esses processos já estão em andamento, de modo bastante sinistro nas regiões árticas.

O quadro mais amplo não é menos sinistro, e praticamente todo mês a temperatura quebra recordes históricos; secas inclementes ameaçam a sobrevivência de centenas de milhões de pessoas. Esses também são fatores relevantes em algumas das regiões onde hoje ocorrem os mais horrendos conflitos: Darfur e Síria. Todos os anos, aproximadamente 31,5 milhões de pessoas são obrigadas a se deslocar por causa de desastres como inundações e tempestades, e isso é um efeito previsto do aquecimento global; é quase uma pessoa por segundo. É um contingente consideravelmente maior que as levas que fogem das guerras e do terrorismo. Os números estão fadados a aumentar à medida que as geleiras derretem e o nível do mar sobe, ameaçando o abastecimento de água de milhões de pessoas.

O derretimento das geleiras do Himalaia pode eliminar o suprimento de água para o sul da Ásia, o que significa impactar vários bilhões de pessoas. Somente em Bangladesh, dezenas de milhões devem fugir nas próximas décadas por causa do aumento do nível do mar, uma vez que se trata de uma planície costeira baixa e plana. É uma crise de refugiados que fará com que a crise migratória de hoje se torne insignificante, e é apenas o começo. Com alguma justiça, os principais cientistas climáticos de Bangladesh já afirmaram que esses migrantes deveriam ter o direito de se mudar para países de onde todos esses gases de efeito estufa estão vindo – e que milhões deveriam poder seguir para os Estados Unidos, algo que suscita uma questão moral nem um pouco trivial.

Não perderei tempo em recapitular o quadro geral; presumo que o leitor esteja familiarizado com isso, mas a situação deveria ser profundamente alarmante para qualquer pessoa preocupada com o destino da espécie e das outras espécies que estamos destruindo de forma irresponsável e com a maior naturalidade. Essa condição não está num futuro longínquo, está acontecendo agora – e vai se agravar acentuadamente. Sempre foi evidente que quaisquer medidas eficazes para conter a ameaça de catástrofe ambiental teriam que ser tomadas em âmbito global.

Esforços internacionais para evitar catástrofes avançaram nas negociações de Paris com a COP 21 em 2015.* Medidas deveriam ter entrado em vigor em outubro de 2016. A data foi antecipada como reflexo da preocupação de que uma vitória do Partido Republicano nas eleições de 2016 pudesse desmontar o que tinha sido alcançado – não muito, mas alguma coisa. O negacionismo republicano já teve impacto significativo. Esperava-se que as

---

* COP 21 é o termo usado para resumir a 21ª Conferência das Partes da Convenção-Quadro das Nações Unidas sobre Mudança do Clima, evento realizado em Paris, de 30 de novembro a 12 de dezembro de 2015. (N.T.)

negociações ⌐   ; levassem a um tratado de cumprimento verificável, mas essa esperança foi abandonada porque o Congresso Republicano não aceitou qualquer compromisso vinculante.

O que surgiu foi um acordo voluntário – evidentemente, muito mais fraco. Em outubro de 2016, chegou-se a um acordo bastante significativo para reduzir de forma progressiva o uso de hidrofluorcarbonetos.* Os HFCs são gases de efeito estufa superpoluentes. Índia e Paquistão, onde o aumento do calor e da extrema pobreza fazem dos aparelhos de ar-condicionado baratos que usam HFC uma necessidade desesperada, conseguiram adiar o início das ações. A resposta certa é evidente. Os países ricos deveriam fornecer subsídios para acelerar o fornecimento de dispositivos livres de HFC, do mesmo tipo que nós usamos. Aparentemente nada nesse sentido foi proposto – e, se foi, é provável que tenha tido destino idêntico ao de um tratado de cumprimento verificável.

É possível parar por um momento e ponderar acerca do mais extraordinário dos fatos: uma das maiores e mais importantes organizações políticas no país mais poderoso da história está devotada à destruição de grande parte da vida na Terra. Pode parecer um comentário injusto, mas um pouco de reflexão mostrará que não é. Neste exato momento (outubro de 2016), estamos chegando

---

* Programa das Nações Unidas para o Meio Ambiente, "Perguntas mais frequentes relacionadas à Emenda Kigali ao Protocolo de Montreal", 3 de novembro de 2016. Disponível em: https://ec.europa.eu/clima/sites/clima/files/faq_kigali_amendment_en.pdf; acesso em: mar. 2020.

ao fim do frenesi do período eleitoral quadrienal. Nas primárias republicanas, todos os candidatos negaram os fatos sobre a mudança climática.

Houve uma exceção, o "moderado e sensato" John Kasich, que disse: "Sim, está acontecendo, mas não devemos fazer nada a respeito" – o que talvez seja ainda pior. Ou seja, é 100% de rejeição. O candidato vencedor, como você sabe, pede um uso maior de combustíveis fósseis, incluindo o carvão, o mais nocivo deles. Ele também é favorável ao desmantelamento da regulamentação e se recusa a direcionar fundos às sociedades em desenvolvimento que tentam fazer a transição para a adoção de energia sustentável, como condicionadores de ar não poluentes na Índia – de todas as formas possíveis, ele acelera a corrida rumo ao desastre.

Quando pensamos no que está em jogo, é justo perguntarmos se já houve na história humana organização mais perigosa que o Partido Republicano atual. É uma pergunta justa, e acho que a resposta é bem clara. Extraordinário na mesma medida é que esses fatos espantosos passem praticamente incólumes, sem repercussão nem críticas. Os comentários feitos durante a campanha eleitoral seguem em um nível de trivialidade vulgar. Podem ser ouvidos mais nos debates presidenciais, com raríssimos olhares, sobre as políticas públicas e quase nada a respeito das mais graves e importantes questões que já vieram à tona na história da humanidade – questões de sobrevivência literal *em curto prazo*. Isso é uma inacreditável cegueira, enquanto os lemingues marcham para o precipício! Nos últimos anos, houve uma ampla e eufórica cobertura midiática das perspectivas de independência energética – "um século de independência energética" –, com ocasionais comentários sobre o impacto local do *fracking*,* mas têm sido escassas as reflexões indicando que a euforia equivale a um entusiasmado apelo para que a sexta extinção nos engula também.

Da mesma forma, a crescente ameaça de desastre nuclear, que é real e grave, quase não provoca comentários. As duas questões mais importantes em toda a história humana, e das quais depende o destino da espécie, estão praticamente ausentes da ampla cobertura sobre a escolha do líder do país mais poderoso na história do mundo e do extravagante espetáculo eleitoral em si. Não é fácil encontrar palavras para descrever a enormidade dessa extraordinária cegueira, talvez palavras como estas:

> Minha imaginação não definirá limites para a ousada depravação
> dos tempos que correm, em que agiotas e corretores da Bolsa se

---

* *Fracking*, apelido em inglês para "fraturamento hidráulico", é a tecnologia empregada para extração não convencional do gás natural do folhelho pirobetuminoso de xisto, rocha sedimentar existente em vários lugares do mundo. Essa extração exige a perfuração profunda do solo, em que se insere uma tubulação que atravessa o lençol freático até a rocha; a cada operação, água, areia e mais de seiscentas substâncias químicas, algumas bastante tóxicas, são introduzidas em altíssima pressão para fraturar (*frack*) a rocha e, assim, liberar o gás. Nos países onde o faturamento hidráulico é realizado, há relatos de contaminação de lençóis freáticos, vazamento de metano para poços artesianos e poluição do ar. (N.T.)

transformam em guarda pretoriana do governo – ao mesmo tempo seu instrumento e seu tirano –, seduzidos por suas liberalidades e intimidando-os com clamores e conluios.*

Como você pode ver pelo estilo da citação, ela não é de hoje, é de James Madison, em 1791, que imaginava o destino do novo experimento democrático – não é uma descrição ruim do estado que esse experimento atingiu 225 anos depois.

Desde a aurora da era nuclear, passos hesitantes e esporádicos têm sido dados rumo a uma resposta internacional capaz de conter a ameaça de guerra nuclear – ou melhor, talvez *acabar com a ameaça*, eliminando esses dispositivos monstruosos. Um passo importante foi o Tratado de Não Proliferação Nuclear (TNP), de 1968. Nele, os cinco Estados nucleares se comprometeram com os então chamados "esforços de boa-fé" visando impedir a proliferação da tecnologia utilizada na produção de armas nucleares. Outros signatários prometeram não desenvolver esses armamentos. Três Estados com armas nucleares se recusaram a assinar: Índia, Paquistão e Israel. E os três se beneficiaram do apoio dos Estados Unidos em seus respectivos programas de armas: o Paquistão

---

* "Para Thomas Jefferson, de James Madison, 8 de agosto de 1791", Founders Online, arquivos nacionais. Disponível em: https://founders.archives.gov/documents/Jefferson/01-22-02-0017; acesso em: 11 abr. 2019 [*The Papers of Thomas Jefferson*, v. 22, 6 de agosto 1791 a 31 de dezembro de 1791, ed. Charles T. Cullen. Princeton: Princeton University Press, 1986, pp. 17-8].

durante os anos Reagan; a Índia sob o governo Bush; Israel, desde um acordo secreto que logo se tornou público entre o presidente Nixon e a primeira-ministra israelense Golda Meir, em 1969.

Isso já é ruim, mas poderia ter sido pior. Na década de 1970, Henry Kissinger, Dick Cheney, Donald Rumsfeld e outros notáveis pediam às universidades estadunidenses, principalmente o MIT, que ajudassem os programas nucleares do Irã. Ao mesmo tempo, autoridades iranianas do alto escalão, inclusive o xá, declaravam abertamente que seu objetivo era desenvolver armas nucleares – o que não impediu os esforços dos estadunidenses. Logo após a Guerra Irã-Iraque [de setembro de 1980 a julho de 1988], George Bush pai, como parte de seu programa de afagos a seu amigo íntimo Saddam Hussein, chegou a convidar engenheiros nucleares iraquianos para ir aos Estados Unidos a fim de receber treinamento avançado em produção de armas, fato que aconteceu em 1989.

Seria melhor, porém, esquecer que houve esse convite; não ouvimos ninguém dizer palavra a respeito dele. Outro empenho internacional para conter a ameaça tem sido o estabelecimento de zonas livres de armas nucleares. Há uma no hemisfério ocidental, que exclui os Estados Unidos e o Canadá, mas inclui todos os outros países. E há outras na África e no Pacífico. Elas estão quase em funcionamento, mas não exatamente. Ainda se encontram bloqueadas pela recusa dos Estados Unidos em renunciar a armas nucleares em Diego Garcia [atol no oceano Índico] e nas ilhas do Pacífico. O caso mais importante seria, sem dúvida, no Oriente Médio. Trata-se de uma iniciativa encabeçada pelos Estados árabes há mais de vinte anos, mas que agora é liderada pelo Irã. Essa seria a maneira óbvia de eliminar qualquer ameaça que, na convicção de quem quer que seja, pudesse resultar em um programa iraniano de armas nucleares. Surpreendentemente, o Irã comanda os esforços para instituir uma zona livre de armas nucleares passível de verificação.

Os Estados Unidos e a Grã-Bretanha têm um compromisso singular com a iniciativa de áreas livres da presença de armamento nuclear: quando tentavam inventar algum tipo de pretexto para invadir o Iraque, apelaram a uma resolução do Conselho de Segurança de 1991, que proibia armas nucleares no Oriente Médio. Ignorou-se o fato de que a resolução obriga explicitamente os Estados Unidos e a Grã-Bretanha a trabalhar em prol de uma zona livre de armas nucleares no Oriente Médio.

Os esforços para levar adiante essa proposta sofreram bloqueios sistemáticos por parte de Washington, mais recentemente por Obama, em 2015, com o intuito de impedir que o arsenal nuclear de Israel seja inspecionado. Além de seu significado por si, o fracasso em fazer avançar uma zona livre de armas nucleares no Oriente Médio põe em perigo o Tratado de Não Proliferação – o mais importante de todos os tratados de controle de armas. O acordo foi prolongado indefinidamente, mas essa extensão indefinida está condicionada a promessas de estabelecer uma zona livre de armas de destruição em massa no Oriente Médio.

Proteger o arsenal nuclear de Israel da inspeção é evidentemente uma prioridade bem alta e, portanto, justifica uma ameaça ao mais importante tratado de controle de proliferação de armas. Outros fatos infelizmente não são discutidos. O objetivo de abolir as armas nucleares não é um sonho utópico; era algo defendido com vigor por figuras conhecidas e tradicionais do *establishment* político – entre elas, George Shultz, secretário de Estado de Ronald Reagan; o ex-senador Sam Nunn, que por muitos anos foi o principal especialista em armas nucleares do Senado; Henry Kissinger; e William Perry, um dos mais respeitados analistas, que atuou como secretário da Defesa, tendo longa experiência no que ele chama de "limiar nuclear".

Esses políticos foram os *quatro* signatários de um artigo de opinião publicado no *Wall Street Journal* exigindo a eliminação – *total* – do flagelo das armas nucleares.* Outro respeitadíssimo especialista em segurança nuclear, Bruce Blair, formou uma nova organização, chamada Global Zero, que reivindica um tratado internacional de proibição de armas nucleares. O Tribunal Internacional de Justiça [ou Corte Internacional de Justiça, principal órgão judiciário da ONU] chegou muito perto desse posicionamento em 1996, em um histórico parecer consultivo sobre a legalidade da posse efetiva ou a ameaça do uso de armas nucleares.**

---

* George P. Shultz, Henry William J., Perry A. Kissinger e Sam Nunn, "How to Protect Our Nuclear Deterrent" [Como proteger nossa dissuasão nuclear]. *The Wall Street Journal*, 19 jan. 2010. Disponível em: https://www.wsj.com/articles/SB10001424052748704152804574628344282735008; acesso em: mar. 2020.

** Tribunal Internacional de Justiça, "Legality of the Threat or Use of Nuclear Weapons" [Legalidade da ameaça ou uso de armas nucleares], 8 jul. 1996. Disponível em: https://www.icj-cij.org/en/case/95; acesso em: mar. 2020.

Neste mês (outubro de 2016), as Nações Unidas estão avaliando pela primeira vez a possibilidade de uma resolução para iniciar negociações com um instrumento juridicamente vinculante; para usar as palavras corretas, *um instrumento juridicamente vinculante visando à proibição de armas nucleares de modo a conduzir a sua total eliminação*. A resolução é endossada por Áustria, Brasil, Irlanda, México, Nigéria e África do Sul. Espera-se obter o apoio de mais de 120 Estados, mas sem respaldo público em larga escala – e é aqui que entra a responsabilidade de cada um; essa resolução será relegada ao esquecimento, assim como aconteceu com outras oportunidades perdidas.*

O mesmo vale para as providências que deveriam ser tomadas agora para reduzir as tensões internacionais que intensificam a ameaça de guerra e a elevam a dimensões bastante perigosas. Essa ameaça crescente suscitou um alarme considerável nos círculos de segurança nacional. William Perry alertou, em suas próprias palavras, que "os perigos nucleares que enfrentamos hoje são, de fato, mais prováveis de irromper em conflito nuclear que durante

---

* Assembleia Geral das Nações Unidas, 41ª sessão, "Desarmamento geral e completo: levando adiante negociações para o desarmamento nuclear multilateral", 14 out. 2016. Disponível em: http://reachingcriticalwill.org/images/documents/Disarmament-fora/1com/1com16/resolutions/L41.pdf; acesso em: mar. 2020. (Adotado em 27 out. 2016.) Em 7 de julho de 2017, a Assembleia Geral das Nações Unidas aceitou o texto do tratado sobre a proibição de armas nucleares, o qual ainda não entrou em vigor. (N.E.O.)

a Guerra Fria". Perry está longe de ser uma voz solitária. Todos os anos, um grupo de especialistas, sob a tutela de cientistas atômicos, atualizam o Relógio do Juízo Final, estabelecido em 1947, no início da era nuclear, em que a meia-noite significa o desastre definitivo para todos.* Dois anos atrás (em 2014), eles deslocaram os ponteiros do relógio para três minutos mais perto da meia-noite, onde permanecem até então.**

É o mais próximo que o relógio chegou do apocalipse desde o início da década de 1980, quando prevalecia um gravíssimo pavor da guerra. É um evento que deveria ser mais conhecido e compreendido. Naquela época, a administração Reagan lançou a operação Able Archer. Foi um exercício militar projetado para sondar as defesas russas simulando ataques, incluindo ataques nucleares. Isso aconteceu em um momento de grandes tensões internacionais. Mísseis avançados, mísseis Pershing 2, estavam sendo posicionados na Europa, na Alemanha mais precisamente, em questão de minutos – dez minutos de voo para alcançar o território russo. Havia outras tensões crescentes naquela época. Há alguns anos, certos arquivos foram dessegredados e disponibilizados

---

* *Bulletin of Atomic Scientists*, *The Doomsday Clock* [Boletim dos cientistas atômicos, Relógio do Juízo Final]. Disponível em: https://thebulletin.org/doomsday-clock/; acesso em: mar. 2020.
** Em 2019, o *Bulletin of Atomic Scientists* estabeleceu que o Relógio do Juízo Final passasse a marcar dois minutos para a meia-noite, horário que permanece até o momento da publicação. Ver Capítulo 5 deste volume.

ao conhecimento público, e descobriu-se que os russos levaram Able Archer muito a sério. Houve incerteza, no entanto, sobre o que se entendeu em Washington. A CIA alegou que os russos não deram tanta atenção assim, que eles sabiam que não passava de um exercício.

Documentos recém-divulgados, porém, revelaram que Washington compreendeu de imediato que Able Archer estava levando o mundo à beira da última e definitiva das guerras. Esses documentos recentemente tornados públicos revelam que a inteligência dos Estados Unidos concluiu que – para usar as palavras exatas – os russos estavam "mobilizando forças em um nível incomum de alerta". De acordo com o protocolo, isso significava que os Estados Unidos deveriam ter reagido na mesma moeda. Um oficial do alto escalão da Força Aérea estadunidense, Leonard Perroots, decidiu por conta própria não seguir o procedimento padrão e não fez nada – apenas esqueceu o assunto –, muito provavelmente evitando uma guerra nuclear de proporções apocalípticas.

Já sabemos que, pouco depois, os sistemas automatizados russos detectaram um aparente ataque nuclear maciço dos Estados Unidos. O oficial encarregado, Stanislav Petrov, também decidiu nada fazer em vez de transmitir as informações para um nível superior e possivelmente desencadear um colossal contra-ataque nuclear. Tanto Leonard Perroots quanto Stanislav Petrov pertencem ao rol de pessoas que, por conta própria, impediram uma guerra nuclear capaz de acabar com o planeta. A eles se juntou Vasili Arkhipov, o russo comandante de submarino que, em 1962, creio eu, em um perigoso momento da crise dos mísseis cubanos, decidiu, sozinho, contrariar uma ordem dos submarinos russos que estavam sob ataque. Por conta própria, ele contramandou uma ordem para o lançamento de torpedos carregados com ogivas nucleares, algo que, mais uma vez, teria se agravado até descambar em uma guerra derradeira.

Foi desse tipo de decisão que o destino da civilização dependeu com muita frequência na era nuclear, e isso não pode continuar. Hoje, os ponteiros do Relógio do Juízo Final foram adiantados para três minutos antes da meia-noite, assim como ocorreu durante a operação Able Archer. As razões apresentadas pelos grupos de especialistas foram a crescente ameaça da guerra nuclear e também, pela primeira vez, o fracasso dos governos em lidar de maneira séria com a iminente crise ambiental – as duas mais expressivas ameaças à sobrevivência que iniciaram a nova era imediatamente após a Segunda Guerra Mundial.

A principal ameaça nuclear hoje está na fronteira russa. Ambos os lados se envolveram em perigosas escaramuças militares, levando a cabo atos extremamente provocativos e expandindo de modo acentuado seus arsenais militares. No lado estadunidense, um elemento é a proposta do presidente Obama para um aprimoramento – ao custo de trilhões de dólares – dos sistemas de armas nucleares, incluindo *novos* armamentos, mísseis de cruzeiro, projéteis nucleares. Os especialistas reconhecem que esses projéteis são particularmente perigosos, porque podem ser redimensionados para uso tático no campo de batalha, o que significa que um oficial no solo seria tentado a usá-los, algo que poderia logo acarretar uma guerra nuclear em escala total.

Hillary Clinton, em uma conversa secreta que foi vazada, levantou dúvidas sobre a pertinência de levar isso adiante. Aqui, outra vez, a pressão popular pode fazer diferença. Bastante provocativo é também o sistema de mísseis de defesa de 800 bilhões de dólares que Washington instalou na Romênia, supostamente para se proteger de mísseis iranianos inexistentes. A Rússia reconhece, assim como o mundo todo, que os chamados "mísseis de defesa" são basicamente armas de ataque inicial.

Talvez seja concebível que isso impeça um ataque retaliatório. A instalação romena é extremamente ameaçadora para a Rússia; e é claro que jamais toleraríamos qualquer coisa semelhante em qualquer lugar perto de nossas fronteiras. A ameaça de guerra na fronteira russa é, em grande parte, consequência da expansão da Otan (Organização do Tratado do Atlântico Norte), desde o colapso do União Soviética, 25 anos atrás. Essa expansão deveria suscitar mais reflexão e discussão do que de fato acontece. Isso se deu durante o governo do presidente Bush pai e seu secretário de Estado, James Baker, e na Rússia de Mikhail Gorbachev.

Olhando para trás, os dois lados tinham visões conflitantes acerca da ordem mundial a surgir com o desaparecimento da União Soviética. Gorbachev pediu um desmantelamento de todas as alianças militares – é claro que o Pacto de Varsóvia desapareceu –, que deveriam ser substituídas por um sistema de segurança da Eurásia, integrando a antiga União Soviética e a Europa ocidental. Esse era o ideal de Gorbachev, mas Bush e Baker tinham um plano diferente: a Otan se expandiria enquanto o sistema soviético desmoronava. Foi o que aconteceu.

A questão imediata também estava imbricada com o destino da Alemanha, por razões óbvias. Gorbachev concordou com a unificação alemã – até mesmo com a adesão da Alemanha à hostil aliança armada pela Otan, o que é uma concessão bastante notável à luz da história recente. Apenas no século passado a Alemanha praticamente destruiu a Rússia várias vezes. Houve, no entanto, um *toma lá dá cá*: a Otan não se expandiria "nem sequer um centímetro para o leste" (foi essa a expressão que se usou) – ou seja, para a Alemanha oriental.* Bush e Baker concordaram com essa transigência, mas apenas verbalmente.

Foi um acordo de cavalheiros; nada firmado por escrito. A Otan de imediato se expandiu para a Alemanha oriental, mas Bush e Baker declararam que, de modo correto, não estavam violando uma promessa escrita, apenas um acordo de cavalheiros. Há uma copiosa e interessante literatura acadêmica que tenta determinar o que exatamente aconteceu durante esse período. Havia questões cruciais em aberto, como o que Bush e Baker tinham em mente. De maneira importante, essas questões foram respondidas de forma bastante persuasiva por Joshua Itzkowitz Shifrinson em uma

---

* As expectativas de Gorbachev eram de que a área de cobertura da Otan não se estendesse ao território da antiga República Democrática Alemã (Alemanha oriental) e além das fronteiras de uma Alemanha unificada.

edição recente, de alguns meses atrás, do periódico *International Security*, do MIT-Harvard.*

Ele empreendeu um novo estudo, com base em extensas pesquisas de arquivos, que revelou de forma bastante convincente que o compromisso verbal de Bush e Baker com Gorbachev fora explicitamente idealizado para, de caso pensado, ludibriar Gorbachev enquanto o domínio dos Estados Unidos se ampliava para o leste. É uma descoberta importante, que não deveria ficar escondida em um periódico acadêmico. Esse foi apenas o primeiro passo. Sob os auspícios de Clinton, a Otan expandiu-se ainda mais para o leste, até a fronteira com a Rússia. Em 2008, e de forma experimental em 2013 no governo Obama, chegou até mesmo a oferecer adesão à Ucrânia, que está no âmago da geopolítica russa, com longevas relações culturais históricas com a Rússia – manobra extremamente provocativa.

George Kennan e outros estadistas tarimbados tinham alertado havia muito tempo que a ampliação da Otan era, no dizer do próprio Kennan, "um erro trágico", um erro político de proporções históricas – e agora vemos os resultados. O erro está

---

* Joshua R. Itzkowitz Shifrinson, "Deal or No Deal? The End of the Cold War and the U.S. Offer to Limit NATO Expansion" [Acordo ou sem acordo? O fim da Guerra Fria e a oferta dos Estados Unidos para limitar a expansão da Otan]. *International Security*, v. 40, n. 4, primavera de 2016, pp. 7-44. Disponível em: https://www.belfercenter.org/sites/default/files/files/publication/003-ISEC_a_00236-Shifrinson.pdf; acesso em: mar. 2020.

contribuindo para a elevação das tensões na fronteira russa, a tradicional rota de invasão pela qual a Rússia foi praticamente destruída duas vezes no século passado somente pela Alemanha. O risco de guerra terminal não é pequeno. Ao refletir sobre esse assunto, um historiador europeu, Richard Sakwa, escreve que a missão da Otan hoje é gerenciar os riscos criados por sua existência, afirmação que de fato está correta.*

Enquanto isso, a missão oficial da Otan tem se estendido muito além da incumbência reconhecida de controlar o sistema energético global – os oleodutos, as rotas marítimas – e de, extraoficialmente, servir como força de intervenção sob o comando dos Estados Unidos. O destino da Otan lança uma luz esclarecedora sobre a verdadeira natureza da Guerra Fria e sua base doutrinária. A Otan, é claro, tinha sido apresentada como algo necessário para refrear as hordas russas. Isso foi ventilado por cinquenta anos. Quando chegou 1991 e não havia mais hordas russas, o que aconteceu com a Otan?

O que aconteceu dá uma visão aguda e reveladora acerca de qual era a efetiva política operacional dos anos anteriores. Corrobora uma observação feita pelo professor de Harvard e consultor do governo Samuel Huntington. Dez anos antes, em 1981, nas palavras dele, "pode ser que você tenha que vender intervenção ou outra ação militar de modo a criar a impressão errônea de que

---

* Richard Sakwa, *Frontline Ukraine: Crisis in the Borderlands* [Linha de frente ucraniana; crise nas fronteiras]. Londres: I. B. Tauris, 2016.

é com a União Soviética que você está lutando. Foi isso que os Estados Unidos sempre fizeram desde a doutrina Truman", em 1947.* Quando as nuvens se dissiparam em 1991, com o colapso da União Soviética, surgiram mais evidências para reforçar essa conclusão, mas novamente estão meio que escondidas do povo, embora de fato sejam de domínio público.

A administração Bush, a primeira, então no poder, imediatamente desenvolveu a nova estratégia de segurança nacional e a incluiu no orçamento de defesa – algo interessante de ler. Eles afirmaram que o enorme aparato militar deveria permanecer no lugar não para nos proteger dos russos, mas por causa do que chamaram de "sofisticação tecnológica das potências do Terceiro Mundo". Se você for um intelectual disciplinado, não ria ao ler essas palavras.

Insistiram também que seria necessário preservar a chamada "base industrial de defesa". Isso significa o sistema de intervenção na economia – respaldado pelo governo – por meio de instituições como o MIT e outras organizações que criam a economia de alta tecnologia do futuro. De forma muito interessante, eles se referiram também ao Oriente Médio, onde, disseram, devemos manter forças de intervenção. Em seguida veio esta frase: os principais problemas que enfrentamos no Oriente Médio "não poderiam

---

* Citado em Noam Chomsky, *Deterring Democracy*. Nova York: Hill & Wang, 1992, p. 90 [ed. bras.: *Contendo a democracia*. São Paulo/Rio de Janeiro: Record, 2002].

ter sido atribuídos ao Krêmlin" – contrariando muitas décadas de mentiras. Tudo isso passou, como sempre, sem repercussão.

Quando o Muro de Berlim caiu, em 1989, Samuel Huntington, seguindo sua lógica anterior, alertou que as relações públicas de Gorbachev poderiam ser uma ameaça tão grande aos interesses dos Estados Unidos na Europa quanto os tanques de [Leonid] Brejnev – e a ameaça das ofertas de paz de Gorbachev foi superada da maneira que acabamos de analisar, e estamos enfrentando as consequências.

Os humanos enfrentam agora as questões mais graves e decisivas que já surgiram em sua história, questões que não podem ser evitadas nem proteladas se quisermos que ainda haja esperança de preservação, talvez de melhoria, da vida humana organizada na Terra.

Não se pode esperar que sistemas organizados de poder, o Estado ou sistemas privados, resolvam agir e tomar as medidas apropriadas para lidar com essas crises – a menos que sejam obrigados a fazê-lo por obra de ativismo e mobilização populares constantes. Uma tarefa importante, como sempre, é a educação. Já citei exemplos antes, exemplos importantes, penso eu, e há muitos outros. São esforços no sentido de desenvolver a conscientização e a preocupação públicas com relação à natureza e à enormidade dos problemas que enfrentamos – e também porque suas raízes estão em nossas próprias decisões.

Existe uma tarefa complementar, usual, para dar conta dos problemas propriamente ditos. Ela pode assumir diversas formas. Pode aproveitar como fonte o sucesso de iniciativas educacionais decisivas e contribuir com elas. Nosso país é o caso mais importante: para citar um motivo, tem poder e influência singulares – e pela simples razão de que é nosso. É aqui que o que fazemos pode ser mais influente. O ativismo popular consegue ser extremamente influente. Já vimos isso repetidas vezes: ao longo de quarenta anos, o engajamento ativista colocou as preocupações ambientais na pauta de prioridades dos formuladores de políticas públicas – ainda não na dose suficiente, mas de modo crucial e significativo.

A enorme mobilização popular em oposição ao desenvolvimento de armas nucleares no início da década de 1980 foi fator de tremenda importância para encerrar as ameaças que haviam surgido à época, pavimentando, assim, o caminho para ações e medidas significativas, embora parciais, com o intuito de reduzir os enormes perigos que representavam. Há muitas outras exemplificações do que pode ser alcançado por meio de esforços para educar e organizar as pessoas e ajudá-las a agir. Essas realizações também se baseiam no entendimento da população sobre o que já foi feito e quais ações podem contribuir para aprofundar e ampliar o que já se produziu.

Há muitos outros exemplos de como o impacto dos movimentos populares pode ser intensificado, contanto que encontrem maneiras de unificar e integrar as causas de engajamento. Compartilhamos objetivos de paz e justiça em comum. No entanto, há desafios e dificuldades, que são difíceis de superar. Existem pressões poderosas que empurram para as margens da preocupação e da discussão as questões cruciais hoje.

Existem problemas culturais e sociopolíticos de considerável relevância. É importante ter em mente que, embora os Estados Unidos há muito sejam o país mais rico do mundo, desde o século XIX, sempre foram uma espécie de atrasado rincão cultural. Isso foi verdade até a Segunda Guerra Mundial. Claro, as coisas mudaram drasticamente no mundo pós-guerra, mas grande parte da população permanece onde estava, culturalmente tradicional e pré-moderna em muitos aspectos. Por exemplo, para 40% da população estadunidense, essas questões essenciais de sobrevivência da espécie têm pouca relevância, porque Cristo vai voltar para a Terra em algumas décadas e, então, tudo será resolvido – *estamos falando de 40% da população*.

Dois terços dos habitantes dos Estados Unidos acreditam que o aquecimento global está acontecendo. Parcela muito menor acredita que é causado por atividades humanas. Somente 40% estão "conscientes", para usar a terminologia das pesquisas, de que a maioria dos cientistas pensa que o aquecimento global está acontecendo. E provavelmente um número muito menor tem noção de que não são *muitos* cientistas, mas um *consenso esmagador*. Infelizmente, se examinarmos as pesquisas nos últimos dez ou quinze anos (antes de 2016), o nível de conscientização não está melhorando. As informações disponíveis sobre a opinião pública quanto à crescente ameaça de guerra nuclear, as razões para que ela exista e as consequências de recorrer a armas nucleares também não são nada animadoras.

Enquanto isso, para as vítimas da agressão neoliberal sobre a população da geração passada, multiplicam-se os problemas de curto prazo de jogar para baixo do tapete questões fundamentais sobre o destino de seus filhos e seus netos. As tarefas que temos pela frente são assustadoras e dificílimas e não podem ser adiadas.

CAPÍTULO 2

Como convencer pessoas

WALLACE SHAWN – Você delineou tanta coisa que é difícil saber por onde começar. Acho que vou fazer uma pergunta boba. A maioria das pessoas reunidas neste salão se preocupa com o futuro do planeta, dos seres humanos. Creio que a primeira coisa a fazer, se quisermos preservar a humanidade, é convencer quem não está aqui a se importar com o lugar em que vivemos. Mas como? Será que essas pessoas não sabem que os perigos são reais ou não têm capacidade de se preocupar tanto com coisas intangíveis?

NOAM CHOMSKY – Simplesmente deem uma olhada nos exemplos que mencionei e perguntem *a si mesmos*, não às "massas ignorantes" por aí. Alguns anos atrás, existia um grande medo com relação ao Irã, a chamada ameaça nuclear iraniana; contudo, há uma maneira muito simples de lidar com isso, que é instituir uma zona livre de armas nucleares no Oriente Médio. Certo? Uma zona livre de armas nucleares passível de verificação, como existe em outras áreas.

Será difícil convencer o Irã a concordar com isso? Não. Os iranianos estavam liderando o esforço para instituir esse espaço. Seria difícil convencer os estados árabes da região? Não, eles vinham defendendo vigorosamente a ideia havia mais de vinte anos. Foram eles que insistiram que, a menos que isso fosse feito, sairiam do Tratado de Não Proliferação, destruindo-o. Os Estados Unidos e a Grã-Bretanha tinham um compromisso insólito com a questão, por causa da resolução a que recorreram quando inventaram um pretexto para invadir o Iraque.

Quantas pessoas sabiam disso? Quantas sabem que essa crise nuclear iraniana poderia ter sido superada, qualquer que tenha sido a crise, com facilidade, sem nenhuma ameaça de guerra, sem negociações, sem sanções, bastando concordar com o estabelecimento de uma zona livre de armas nucleares na região. Você não pode fazer isso num estalar de dedos, mas é óbvio como fazer, até porque já foi feito em outros lugares. Ninguém sabe, então ninguém pode se engajar nessa causa. Se as pessoas soubessem e se envolvessem, poderiam ter obrigado Obama, presidente dos Estados Unidos, a retirar a oposição estadunidense, que regularmente bloqueia a iniciativa.

Quem lê os periódicos profissionais especializados em controle de armas sabe a respeito disso e também sabe algo que é óbvio: está na cara que os Estados Unidos estão obstruindo e, verdade seja dita, colocando em risco o Tratado de Não Proliferação, porque não querem que as armas nucleares de Israel sejam inspecionadas. Isso é interessante? As pessoas se importariam com isso se soubessem que a vida delas depende disso? Desconfio que sim. Vejam o que está acontecendo neste exato momento, como mencionei: pela primeira vez as Nações Unidas consideram a possibilidade, bem agora em 2016, de propor uma resolução apoiada por importantes Estados – como Brasil, Áustria, outros. Provavelmente, as Nações Unidas vão conseguir os votos de pelo menos 120 países solicitando um tratado que declare ilegais esses horríveis dispositivos e exija sua eliminação.

Os Estados Unidos não vão votar a favor, a menos que haja pressão popular, mas não pode haver pressão popular a não ser que os cidadãos ao menos saibam o que está acontecendo. Em meio a tantas questões – *o destino da Otan, o que era a Otan e quais eram suas intenções, por que ela está se expandindo, por que não aceita o sonho de Gorbachev de uma segurança pacífica e integrada da Eurásia, sem blocos militares* –, as pessoas não podem fazer pressão, a menos que tenham informações.

Veja a conversa privada – e vazada – entre Hillary Clinton e vários financiadores. Acho que veio do WikiLeaks e foi publicada no jornal *The New York Times*. Clinton assumiu posições bastante razoáveis, como qualquer político ajustando-se à plateia – no caso, pessoas poderosas e contrárias às armas nucleares. O que ela disse foi: "Deveríamos reconsiderar o programa de modernização de Obama, cujo custo chega a trilhões de dólares, e nos opor ao desenvolvimento das partes mais perigosas". Aquelas que mencionei, as *pequenas* – chamadas de "armas nucleares pequenas" –, e as enormes – os mísseis de cruzeiro com ogivas e a perigosa capacidade de ser redimensionadas para uso efetivo no campo de batalha. Isso significa que um oficial no campo de combate, cujas tropas estivessem em perigo, poderia decidir usar armas nucleares táticas, atitude que talvez levasse muito rapidamente a uma guerra nuclear total e terminal. Hillary Clinton disse que é contra e que deveríamos reavaliar o programa de modernização. Quando ela falar com o interlocutor seguinte, não vai confirmar que disse isso, mas sua fala poderia vir à tona se as pessoas se organizassem e se mobilizassem para pressioná-la a manter sua posição. Elas poderiam dizer: "Tudo bem, são bons comentários, mantenha-se firme". Pode acontecer? Claro que sim, mas somente se você estiver ciente dessa verdade e disposto a se tornar atuante e engajado; caso contrário, a chance vai desaparecer, como muitas outras.

SHAWN – *Quando você fala de ativismo, primeiro está falando em espalhar a conscientização. Por que a grande mídia –* The New York Times *ou outro periódico qualquer – é tão relutante em escrever sobre essas coisas de maneira que permita ao ativismo atingir mais pessoas? Um ativista parece um idiota se diz coisas sobre as quais ninguém jamais ouviu antes.*

CHOMSKY – Existem muitas razões; não é necessariamente má-fé. Se algum de vocês cursou faculdade de Jornalismo, sabe que um dos conceitos ensinados e extremamente respeitados é o de "objetividade". Ou seja, relatar de forma exata e justa o que está acontecendo *nos bastidores* da política, do governo, da Casa Branca e do Congresso. Você informa com precisão e honestidade; então, se Donald Trump tuitou alguma obscenidade às três da manhã, é a manchete no jornal *The New York Times*; se Hillary Clinton disse o que ela disse, essa é a grande história.

Se algo não for discutido no âmbito do estreito *establishment* econômico e político, você não deve denunciar, pois seria tendencioso, seria emocional – aliás, poderia ser descrito de várias maneiras, e "objetivo" não é uma delas. Trata-se de uma doutrina do jornalismo. Se você acha que é diferente no mundo acadêmico, não está errado. É *um pouco* diferente. Por exemplo, o artigo da revista *International Security*, que mencionei, é extremamente significativo. Você vê a pesquisa de arquivo: lá, o relato é feito de maneira bastante seca; no entanto, ao ler, o que está sendo dito é que George Bush pai, o Bush "sensato", e James Baker estavam propositalmente enganando Gorbachev quando disseram a ele que a Otan não se expandiria para a Alemanha oriental. Eles fizeram isso de maneira enganosa, intencional, para que, em vez de desmantelar a Otan e aceitar o ideal de um mundo livre de blocos militares, nós a estendêssemos até a fronteira russa, com as consequências que vemos agora. A verdade está lá, mas não está lá de modo que o mundo acadêmico consiga ver. Alguém pode olhar para o artigo, considerar que "é até bacana" e seguir adiante para ler o texto seguinte. Você tem que encontrar as coisas que importam e levá-las à consciência pública. Elas não estão ocultas; num país bastante livre, tudo está à disposição. Descobrimos um bocado de coisas, mas nada é entregue em uma bandeja de prata, e é disso que se trata o ativismo.

SHAWN – Você se dispõe a conversar com pessoas que discordam totalmente de sua opinião ou acha que é melhor e mais fácil falar com quem discorda um pouco de você, mas está disposto a ouvi-lo?

CHOMSKY – Não há muitas pessoas que discordem de tentar salvar o mundo em que os eventuais netos vão viver. As pessoas concordam com essa ideia, então é possível falar com quase todo mundo, com qualquer pessoa que seja moderadamente sã. O que as pessoas não sabem tende a levar a decisões extremamente irracionais – racionais dentro da estrutura delas próprias, mas a essa estrutura faltam fatos cruciais. Não acho que seja possível alcançar *todos* os públicos, não espero alcançar o Clube dos Professores de Harvard, por exemplo, mas dá, sim, para chegar à *maioria* das pessoas.

As pessoas compartilham interesses em comum, interesses simples, como o mero fato de os seres humanos estarem aqui há 200 mil anos e a atual geração ter que decidir se isso vai continuar. É um fato bem simples, há uma porção de evidências disso, evidências esmagadoras. Se forem levadas a pensar a respeito, as pessoas vão se importar.

SHAWN – O que você acha da desobediência civil, acorrentar-se a coisas e ir para a cadeia?

CHOMSKY – Eu mesmo estive envolvido nesse tipo de situação muitas vezes, entrei e saí da cadeia uma porção de vezes e cumpri uma longa pena. É uma tática legítima, mas, para mim, as maneiras com que a desobediência civil tem sido conduzida com frequência não são legítimas. Quase sempre são como uma espécie de manifesto, de declaração de consciência pessoal. Vou correr o risco por causa de minha consciência – para algumas pessoas, a relação com Deus ou algo assim –, quaisquer que sejam as consequências. Não acho que esse seja o caminho certo.

A desobediência civil faz sentido ao propiciar o reconhecimento de que existe algo suficientemente sério a ponto de fazer com que certos indivíduos corram riscos, o que talvez levasse as pessoas a pensar que também elas deveriam agir. Se o trabalho de base for feito, então a desobediência civil pode ser uma ferramenta eficaz. Se não houver base, simplesmente não funciona; é até prejudicial, na verdade. Devo dizer que isso inclui atos de gente que respeito e admiro muito, amigos próximos. Quando ativistas pacifistas invadem uma base submarina, por exemplo, e batem ruidosamente em ogivas de mísseis, sem qualquer preparo, o resultado é irritar os trabalhadores locais. "Por que vocês estão tirando nossos empregos?", perguntam. Com raiva, dizem: "Por que vocês estão se metendo no caminho e nos incomodando?". Qual é o propósito dessa atitude? Somente fazê-lo se sentir bem? Esse não é tipo certo de desobediência civil. Isso veio à tona muitas vezes, e quem esteve envolvido no ativismo ao longo dos anos sabe que essas questões surgem constantemente. Então é bem crítico. No auge da Guerra do Vietnã, eu me lembro de discussões com vietnamitas, que falavam sobre o tipo de ações que queriam ver e davam exemplos dos atos que de fato respeitavam – por exemplo, um grupo de mulheres em pé e em silêncio diante de túmulos de soldados dos Estados Unidos.

Quando esse tipo de atitude era apresentado aos ativistas estadunidenses, porém, eles davam risada. Muitos jovens queriam descer a rua principal do centro da cidade e quebrar as vitrines para mostrar o quanto odiávamos a guerra, o que, é claro, gerava apoio para combate. Os vietnamitas desejavam a sobrevivência, não se importavam se suas ações geravam bem-estar. Essas são perguntas que têm que ser feitas *o tempo todo*. A pessoas têm que se perguntar sobre as prováveis consequências de seus atos; se geram ou não bem-estar, isso não é relevante – na verdade, é negativo.

SHAWN – Muitas pessoas que têm consciência sobre as consequências de uma guerra nuclear e da mudança climática são bastante instruídas e também malvistas por tantas outras. Você tem alguma reflexão sobre como... Ou melhor, os apoiadores de Trump, que riem da ideia de aquecimento global e da mudança climática, sentem rancor de pessoas que receberam boa educação formal e que talvez estejam em melhor situação econômica. Como alcançamos os ressentidos?

CHOMSKY – Isso é sério. É um fenômeno muito interessante e deve ser tratado com sensibilidade e compreensão. Conforme mencionei, 40% da população afirma que tanto o aquecimento global como a mudança climática não podem ser problemas por causa da segunda vinda de Cristo [Ele voltaria para a Terra dentro de décadas, e tudo seria resolvido]. Ora, isso é um problema cultural sério nos Estados Unidos. Todas as pessoas que sabem algo a respeito da história deste país deveriam... *Todos nós* devemos entender isso.

É muito importante compreender que os Estados Unidos eram um rincão atrasadíssimo em termos culturais até a Segunda Guerra Mundial. Até então, se você quisesse estudar física, ia para a Alemanha. Quem quisesse se tornar escritor, artista, ia a Paris. Havia exceções, é claro, mas essa era uma verdade esmagadora, apesar do fato de os Estados Unidos serem de longe o país mais rico e mais poderoso do mundo – havia muito tempo. E as razões históricas são diversas: trata-se de um país muito insular. Não há muitas nações em que você pode percorrer 5 mil quilômetros e continuar mais ou menos no mesmo lugar de onde partiu, sem encontrar nenhuma cultura ou língua diferente ou qualquer coisa do gênero. Protegidos pelos oceanos, conseguimos manter longe daqueles sujeitos malvados os vastos recursos internos que ninguém mais tinha. Vieram muitas ondas de imigrantes que aqui se integraram. Portanto, não se pode ignorar o ateísmo, e não faz sentido discursar sobre ele. São questões a ser entendidas, e é preciso compreender que as igrejas realmente significam algo para as pessoas, para muita gente, incluindo apoiadores de Trump.

São cidadãos que foram deixados de lado, ninguém faz nada por eles. Os democratas abandonaram a classe trabalhadora décadas atrás, e os republicanos podem adotar uma linha populista, mas suas políticas públicas são muito mais avessas aos trabalhadores que as dos democratas. Os homens da classe trabalhadora – suponho que nos Estados Unidos devemos chamá-los de "classe média", pois a expressão "classe trabalhadora" é um palavrão aqui – que apoiam Trump aceitam políticas que vão devastá-los. Basta dar uma olhada nas políticas econômicas, nas políticas fiscais e em outras ainda. No entanto, é verdade que eles estão sendo deixados de lado, e seus valores estão sendo atacados. Seus valores são em muitos aspectos culturalmente tradicionais e pré-modernos no sentido ocidental, mas estão sendo atacados. Um dos poucos refúgios que eles têm é a igreja. Eles são a igreja em uma comunidade tradicional, então ninguém deveria rir disso, pois é algo sério. É preciso lidar com isso.

Há um livro muito interessante que acaba de ser publicado por Arlie Hochschild, socióloga que partiu para uma área bastante empobrecida na Louisiana e lá viveu por seis anos a fim de estudar, de modo muito empático, as pessoas.* É uma região profundamente trumpista, e os resultados que a autora obteve são significativos. Lá as pessoas são devastadas pela poluição de produtos químicos e outros da indústria petroquímica,

---

* Hochschild, Arlie Russell. *Strangers in Their Own Land: Anger and Mourning on the American Right* [Estranhos em sua própria terra: raiva e luto na direita dos Estados Unidos]. Nova York: The New Press, 2016.

mas se opõem fortemente à Agência de Proteção Ambiental. Quando Hochschild lhes pergunta o motivo, os cidadãos os apresentam. Dizem: "A Agência de Proteção Ambiental é um sujeito da cidade grande com título de doutor que chega aqui e me diz que não posso pescar, mas não vai atrás das indústrias petroquímicas. Então, quem quer esses caras aqui? Eu não quero que venham tirar meu emprego e me dizer o que posso fazer; além disso, falam comigo com aquele sotaque sofisticado enquanto sou atacado por todas essas besteiras".

São questões sérias. Significativas. Merecem respeito, e não ridicularização, e acho que é possível abordá-las. Na década de 1930, tenho idade suficiente para lembrar, a situação era meio parecida com a de agora, mas a pobreza era muito maior. A Depressão foi muito pior que a atual recessão. Era um país bem mais pobre que atualmente. No entanto, eu era mais esperançoso. Muitos de meus familiares eram da classe operária desempregada; e a maioria dos trabalhadores estava desempregada, mas tinha esperança.

Os trabalhadores tinham a sensação de que as coisas iriam melhorar. Havia protestos trabalhistas, a CIO* estava se

---

* Committee for Industrial Organization (Comitê de Organização Industrial) é a federação de sindicatos de trabalhadores industriais dos Estados Unidos e do Canadá, fundada em 1935. (N.T.)

organizando, havia partidos políticos de esquerda. Os sindicatos forneciam serviços de verdade: algumas semanas no interior rural, grupos educacionais, educação dos trabalhadores, maneiras de as pessoas se reunirem – de alguma forma, sairiam dessa. Isso faz falta hoje. A sociedade tornou-se muito atomizada. As pessoas estão sozinhas. Antes, ficavam diante dos aparelhos de TV, agora são os celulares ou sei lá o quê. As pessoas estão muito atomizadas, isoladas, e isso faz com que se sintam bastante vulneráveis.

Esse é o tipo de situação a ser superado pela organização e pelo ativismo. Meu próprio sentimento é de que os apoiadores de Trump e os apoiadores de [Bernie] Sanders poderiam ter sido um bloco unificado. Enfoques adequados para o problema requerem esforço, sensibilidade e compreensão, como Hochschild mostrou em seu relato repleto de empatia a respeito de onde essas pessoas estão vindo e por quê. É fácil, digamos, em uma *New Yorker*, colocar um cartum sobre Trump e sobre quanto ele é ridículo, mas isso é não entender a questão. Talvez pareça ridículo, mas ele alcança as pessoas por certas razões, e nós *deveríamos estar interessados nessas razões*.

É como jovens muçulmanos no Ocidente se juntando aos movimentos da *jihad*. Gritar com eles não é suficiente. Existem razões. Se você olhar para as circunstâncias da vida deles, poderá enxergá-las, e então torna-se possível abordá-las.

SHAWN – O ativismo real começaria com uma viagem compassiva para o interior desses territórios desconhecidos de nossa própria terra, onde Hochschild esteve. O que podemos fazer em Boston e Nova York é menos importante que aquilo que poderíamos fazer se nos mudássemos para a Louisiana e lá residíssemos por uma quantidade significativa de tempo?

CHOMSKY – Não acho que precisamos percorrer tantos quilômetros para encontrar ativismo. Alguns anos atrás, pediram que eu desse uma palestra em uma escola de Boston, onde ninguém fala inglês como primeira língua. Talvez haja lá uma dúzia de idiomas com diferentes grupos de imigrantes. É uma comunidade bastante ativista. Existem ativistas locais que discutem o tipo de trabalho que fazem lá, e é importante e interessante que seja bem aqui em Boston. As pessoas julgam que é impossível, que não temos chance, que não podemos fazer nada. Como combater esses grandes poderes? Algumas das coisas que foram descritas se mostraram muito instrutivas para mim. E acho que seriam para todos nós. Por exemplo, reunir um grupo de mães que querem a instalação de um semáforo numa rua que seus filhos têm que atravessar quando vão à escola. Elas se organizam, publicam folhetos, conversam entre si, falam com os representantes locais. Finalmente, conseguem o semáforo – e isso é empoderador. Isso diz para a pessoa que ela pode fazer alguma coisa. Nós não estamos sozinhos. Podemos criar outros movimentos e seguir a partir deles; é assim que as coisas se desenvolvem. Sim, na Louisiana, mas também não longe de casa, há muito o que fazer – bem em nossa comunidade, dita "culta". A falta de entendimento nos círculos bem-educados é terrível. Duvido que uma minúscula fração de acadêmicos que trabalham nessas áreas sequer saiba algo sobre os assuntos abordados nesta noite – *exatamente* aqui onde moramos.

CAPÍTULO 3

Pensando estrategicamente

RAY – Meu nome é Ray Matsumiya. Minha família é de Hiroshima. Meu avô foi vítima da bomba atômica, e isso tem um grande significado para mim. Dirijo uma organização que leva professores de todo o mundo para Hiroshima a fim de entender o impacto da bomba atômica. A ideia é que, a partir de certa conscientização, os jovens possam se tornar ativistas. E interrompam a loucura das armas nucleares. Minha pergunta, então, é sobre localização e prioridade. Há duas linhas de pensamento a respeito disso: a primeira é que seria muito importante alcançar populações ativistas em países que já têm armas nucleares. Nos Estados Unidos, movimentos populares questionam por que se gasta 1 trilhão de dólares na modernização de armamentos nucleares e criam obstáculos ao financiamento desse gasto. A outra corrente de pensamento é trabalhar com nações que não têm arsenal nuclear – a exemplo da resolução que está em tramitação na ONU –, 120 países que não possuem armas nucleares, mas sabem que o futuro está atrelado ao uso delas. Mesmo que haja uma negociação nuclear limitada, vai impactar o mundo inteiro, e essa é a lógica dessa corrente. Minha pergunta é a seguinte: é mais importante mobilizar populações em países que têm armas nucleares ou naqueles que não têm?

CHOMSKY – Não acho que sejam coisas excludentes, pois tudo é necessário. Há duas categorias de países que possuem bombas atômicas: uma consiste dos signatários do Tratado de Não Proliferação (TNP), cujos membros oficiais – Estados Unidos, Rússia, China, França e Grã-Bretanha – têm armas nucleares. De acordo com o artigo 6 do tratado, esses países são obrigados a empreender esforços de boa-fé para eliminar as armas.

E há várias maneiras de pôr isso em prática. Conforme mencionei na palestra, não é utopia. Há figuras muito relevantes e de importância consolidada que clamam por esse tipo de atitude, e podemos nos juntar a elas. Não é preciso fazer tudo de uma só vez, mas pode ser feito conjuntamente. Trata-se de uma atividade internacional. Por isso, o título deste livro, *Internacionalismo ou extinção*. Houve algum sucesso, por exemplo, depois do fim da Guerra Fria – ou até mesmo antes disso –, na redução do número de armas nucleares.

Esse número ultrapassa qualquer possibilidade concebível, imaginável, de dissuasão – reduzi-las, portanto, é importante. Eliminar as mais perigosas. Alguma coisa tem que ser feita nos Estados Unidos em relação à chamada "tríade" de mísseis (terrestres, marítimos e aéreos). Analistas estratégicos sabem que os de posicionamento terrestre são inúteis e perigosos. Inúteis porque são lentos demais e não é possível protegê-los. Perigosos porque são *alvos*. Não têm utilidade nenhuma. Os marítimos podem destruir o mundo inteiro mais de 1 milhão de vezes. Pessoas que investigaram as bases terrestres dos mísseis balísticos Minuteman dizem que os soldados incumbidos sabem perfeitamente que é um beco sem saída. E não tem o menor sentido. Eles não ligam para os mísseis. Não se dão ao trabalho de vigiá-los. Ficam lá cumprindo outras funções. É um fenômeno perigoso e inútil. É possível liquidar esses mísseis, seria um passo no sentido de induzir os russos a fazerem algo equivalente.

Zonas livres de armas nucleares poderiam ser levadas adiante no Oriente Médio, se os Estados Unidos não impedissem a iniciativa. Os Estados Unidos colocam obstáculos, e as pessoas não fazem nada a respeito. Além disso, há muitos outros passos possíveis. Entre os Estados não signatários do

TNP – três deles têm armas nucleares: Paquistão, Índia, Israel –, é importante garantir que se livrem dos armamentos nucleares ou que passem a aderir ao tratado. No entanto, infelizmente, os Estados Unidos têm apoiado os programas de armas nucleares desses países.

Esse problema é nosso. A culpa é nossa. Estamos permitindo que isso aconteça – e não deveríamos permitir. Os outros Estados estão absolutamente certos em querer que as armas sejam eliminadas; é por isso que neste exato momento Estados importantes propõem uma saída na ONU, cujo texto pode contar com a adesão de cem nações que pedirão a imediata proibição de armas nucleares, o que deve ser apoiado, não minado. E não é que seja segredo, pois qualquer pessoa que examinar os registros da ONU pode tomar conhecimento disso.

As pessoas têm diferentes engajamentos, comprometimentos, associações, interesses. Ninguém pode fazer tudo, mas você pode escolher questões que considere importantes e colocar mãos à obra.

EMILY – Sou funcionária na filial de Massachusetts da 350.* Como alguém que trabalha com mudanças climáticas, penso muito em

---

* ONG ambientalista estadunidense fundada em 2008 por um grupo de universitários juntamente com Bill McKibben, que escreveu um dos primeiros

controlar o desespero, e o cenário que o senhor pintou nesta noite é desolador. O senhor parece ter motivos plausíveis para isso. Contudo, eu adoraria ouvir suas reflexões sobre como manter a esperança e o engajamento diante desses fatos. Existem paralelos históricos específicos que o senhor acredita que podemos aproveitar como base enquanto enfrentamos ameaças sem precedentes?

CHOMSKY – É fácil: simplesmente pense na alternativa. Suponha que um indivíduo desanime e deixe as coisas acontecerem... Como o mundo vai ficar? Não haverá vida humana organizada por perto, e a maioria das outras espécies será destruída. Esse é o mundo que queremos?

JASON – Meu nome é Jason Pramas, sou do Instituto Boston Para Jornalismo Sem Fins Lucrativos. Professor Chomsky, entendo que o principal impulso para proibir armas nucleares deve ocorrer nas instâncias nacional e internacional. O senhor acha que será útil organizar nos níveis municipal, estadual e regional zonas livres de armas nucleares, incluindo disposições que proíbam a pesquisa e o desenvolvimento de armas nucleares em universidade como o MIT e institutos de pesquisa afins, como o laboratório Draper?

---

livros sobre aquecimento global para o público em geral. Ao postular essencialmente o fim da era dos combustíveis fósseis e a construção de um mundo de energias renováveis, o nome da ONG vem de 350 partes por milhão, que é a concentração segura de dióxido de carbono na atmosfera. (N.T.)

CHOMSKY – Sim, é meio análogo às zonas livres de armas nucleares e pode ser feito em âmbito local também. A proibição de pesquisas para o desenvolvimento de armas nucleares é muito importante. Aliás, no MIT a história é um pouco diferente. Essa questão foi levantada por estudantes – com toda a razão – durante período de intenso ativismo no fim dos anos 1960, e o resultado foi interessante. Houve confrontos que se acumularam até finalmente levarem a uma comissão mista de professores e alunos, da qual fiz parte.

A comissão investigou o trabalho militar no *campus*: não havia trabalho nenhum envolvendo armas nucleares, mas tinha trabalho militar realizado dentro do *campus*, e era bem sério, porque talvez cerca de 90% do instituto era financiado pelo Pentágono. Então, a questão naturalmente surgiu, e os resultados foram interessantes: no *campus* não havia nenhum trabalho confidencial. Fora dele havia dois laboratórios, o Lincoln e o Draper. Representavam 50% do orçamento total, aproximadamente, e realizavam trabalho militar fora do *campus*.

"Fora do *campus*" é uma expressão um tanto formal – nada impede as pessoas de participarem de seminários do outro lado da rua, mas eles eram tecnicamente separados. O único trabalho militar dentro do *campus* não foi investigado, porque não era realizado nos departamentos de ciências; estava sendo realizado no departamento de *ciência política*, que fazia efetivamente uma pesquisa de contrainsurgência no Vietnã. Claro que não o chamavam por esse nome, era o Instituto de Pesquisa da Paz – *naturalmente*.

Houve um debate na comissão sobre como lidar com esse fato. A comissão se dividiu, *grosso modo*, entre conservadores, liberais e radicais. Os conservadores disseram que queriam manter as coisas do jeito que estavam. Os liberais disseram: "Queremos fazer uma ruptura, manter os laboratórios militares fora do *campus*". Poucos radicais concordaram com os conservadores: "Devemos mantê-los no *campus*, para que seja uma constante fonte de ativismo e educação, em vez de removê-los formalmente para onde fingimos que não existem". No entanto, os liberais venceram, e a pesquisa está tecnicamente fora do *campus*.

Questões semelhantes podem surgir em outros lugares. Como o exemplo das armas nucleares iranianas: é uma história muito interessante. Nos anos 1970, o Irã era (o principal) aliado dos Estados Unidos no Oriente Médio; era, inclusive, chamado de o Guardião do Golfo. Donald Rumsfeld [então secretário de Defesa], Dick Cheney [então chefe de gabinete da Casa Branca] e Henry Kissinger [conselheiro de Relações Exteriores] fizeram forte pressão sobre o MIT, particularmente, para que engenheiros nucleares iranianos fossem convidados a estudar engenharia nuclear lá. Não sabíamos na época o que deveríamos saber, mas agora sabemos: o governo iraniano [sob o xá] declarava abertamente sua intenção de desenvolver armas nucleares.

Era difícil acreditar que Kissinger e os outros não soubessem desse plano, que, porém, não era de conhecimento público. Houve turbulência no *campus*. Os alunos começaram a se mobilizar a respeito da questão, houve um referendo de estudantes, em que... Pode ser que meus números estejam errados, então se trata um valor aproximado, mas cerca de 80% dos alunos quiseram impedir [que a ideia fosse posta em prática]. Tornou-se um problema suficientemente grande, e foi marcada uma reunião do corpo docente – as pessoas em geral não vão a reuniões do corpo docente, que são chatas demais, mas, quando há um problema sério, todo mundo comparece.

Nessa reunião, houve um grande debate. Não foram muitos – talvez cinco de nós – os que concordaram com os estudantes. Surpreendentemente, o corpo docente discordou e disse que deveríamos manter [o programa de auxílio técnico aos iranianos] no *campus*, o que é interessante, se você parar para pensar, porque os professores são os estudantes de dez anos antes. Essa mudança institucional levou a uma drástica mudança de atitude, e não por causa de mais informações – o corpo docente não tinha mais informações que os alunos. É um tipo de situação – pessoas como nós devem pensar a respeito disso – que aponta como nossos papéis institucionais influenciam a maneira de olharmos para o mundo. O convênio foi aprovado, e muitos dos que comandam o sistema nuclear iraniano receberam treinamento no MIT.

KIRKLAND – Olá, creio que duas coisas ficaram óbvias até este ponto do debate: a primeira, não podemos confiar nos abastados para que corrijam esses problemas. A segunda, nos organizarmos em movimentos populares é a solução. Acho que foi o que deduzi a partir do que conversamos até agora. Minha pergunta é: uma vez que nos organizarmos, quais seriam os pontos de pressão estratégica? Já foram identificados? Estou supondo que a estratégia seria a não violência simplesmente por causa do artigo de Stephan e Chenoweth na International Security.* *Acredito naquilo a que o senhor estava se referindo antes, que a não violência é mais eficaz, mas, se resistirmos, ou quando resistirmos, na desobediência civil, quais seriam os pontos de pressão? Escolhemos como alvos os bancos que financiam essas situações? Colocamos na mira a administração municipal, o governo federal?*

---

* Maria J. Stephan e Erica Chenoweth, "Why Civil Resistance Works: The Strategic Logic of Nonviolent Conflict" [Por que a resistência civil funciona: a lógica estratégia do conflito não violento], *International Security*, v. 33, n. 1, verão de 2008, pp. 7-44.

CHOMSKY – Não acho que exista resposta única, aplicável a todas as situações. Depende de quem vocês são, quais são as circunstâncias, quais são seus interesses, quem são seus colegas, que tipo de talentos vocês têm, em que tipo de coisas são bons, o que não gostam de fazer. Todos esses pontos de pressão importam – *todos*, até mesmo um semáforo para a rua que seus filhos atravessam –, desde que as pessoas aprendam que podem se organizar. Há um leque de coisas possíveis de ser feitas, e é realmente uma questão individual descobrir quais são e também as que *eu* acho que sou capaz de fazer e que poderiam ser eficazes. Temos que fazer nossas escolhas do mesmo modo que encontramos nosso próprio caminho na vida; ninguém pode nos dizer como fazer isso.

LYN – Hoje, fala-se muito sobre votar no menos pior e escolher o candidato com mais chances de ser eleito, mas passível de causar menos dano. E eu me pergunto: o voto para o menor dos males, em quem quer que seja, não é apenas um voto para perpetuar o sistema de dois partidos que nos conduziu à situação em que nos encontramos?

CHOMSKY – Talvez metade da população se abstenha [de votar], mas estaria ela mudando o sistema? Não está surtindo efeito nenhum. Há muita confusão sobre o voto no mal menor, e a questão é realmente trivial. É uma questão de lógica. De simples lógica. Se você mora num estado indeciso não está claro o que pode acontecer, você tem que tomar uma decisão sobre quem seria o pior candidato. Certo? Suponha que você tenha decidido que Trump é o pior candidato ou considere Hillary Clinton a pior candidata... Sua escolha é simples.

Votar em Trump ou votar contra Trump? Se não votar, está votando em Trump; se votar em um terceiro partido, está votando em Trump. É matemática, e não dá para discutir com a matemática. Tirar um voto de Hillary Clinton equivale a adicionar um voto em Trump. Uma coisa com que não podemos discutir é a matemática, como fica claro. O que se pode dizer que não está claro é quem é o pior candidato, e isso você pode debater – francamente, não acho que seja questão para muito debate, mas você pode decidir. São duas questões separadas. E, em meio a todo esse medo sobre votar no mal menor, nota-se, em todos os artigos, que eles podem ser confusos. Você deduz, então, quem é o pior candidato, decide se quer votar nele e, em um dos estados indefinidos, escolhe um terceiro partido, porque acha que está votando no pior dos males – isso é lógico, não se pode controlar. Sobre não apoiar o sistema bipartidário por meio da abstenção, quero dizer que, ao deixar de votar, não se muda esse sistema. Talvez você *conseguisse* mudar, antes de tudo, trabalhando de dentro do sistema para modificá-lo, como o movimento de Sanders.

Hoje, o programa Democrata é provavelmente o mais progressista em décadas, desde o New Deal.*

O programa não será promulgado, a menos que haja pressão, mas isso é ação política. A outra possibilidade é *de fato* desenvolver um terceiro partido. Desenvolver um terceiro partido não significa apenas aparecer a cada quatro anos e lançar alguém para concorrer à Presidência, porque isso não basta. O que se deve colocar em prática é o ativismo constante a partir de um plano local, eleger pessoas para diretorias de ensino, conselhos escolares, câmaras de vereadores, assembleias legislativas estaduais, tudo a seu tempo. Dessa forma, desenvolve-se a base para um terceiro partido. No entanto, em nosso sistema político, que herdamos da Grã-Bretanha, há uma barreira contra terceiros partidos.

Herdamos o sistema eleitoral de maiorias simples conhecido como *first-past-the-post* [que impõe critério majoritário para a vitória na eleição e, numa tradução livre, seria algo como "o primeiro a passar a meta"]. Em países com representatividade

---

* O New Deal foi um conjunto de medidas governamentais dos Estados Unidos implementado na década de 1930. O presidente Franklin Roosevelt (1882-1945) criou programas para levar o país a se recuperar dos problemas econômicos da Grande Depressão, tendo como principais objetivos a geração de empregos e a reforma do sistema financeiro. (N.T.)

proporcional, há muito mais oportunidades de desenvolver partidos independentes, então uma opção é avançar em direção a um sistema de representação proporcional. Outra opção é usar os mecanismos do sistema de dois partidos para permitir o desenvolvimento de partidos independentes como candidatos de fusão, como o Partido das Famílias de Trabalhadores em Nova York. Você pode votar neles, e isso ajuda o partido, mas os votos em geral vão para os democratas – essa é a maneira de trabalhar dentro do sistema. As possibilidades são desenvolver um terceiro partido significativo ou trabalhar para mudar os existentes; apenas se manter alheio, porém, não ajuda em nada. De qualquer modo, metade da população faz isso.

Existe um estudo muito interessante, revelador, sobre o começo do governo Reagan, no início dos anos 1980, feito por Walter Dean Burnham, que é um pesquisador acadêmico muito bom, que investiga a política eleitoral.* Realizou, até onde sei, o único estudo sobre não eleitores, e uma de suas perguntas era em quais perfis socioeconômicos as pessoas se encaixavam. Constatou-se que o resultado era bem parecido com os europeus que votam em partidos que têm por base políticas social-democratas ou trabalhistas. Aqui essas pessoas

---

* Walter Dean Burnham, *The Current Crisis in American Politics* [A crise atual na política estadunidense]. Oxford/Londres: Oxford University Press, 1982.

simplesmente não votam. Isso nos diz alguma coisa, algo significativo. A propósito, isso não seria verdade hoje, porque os partidos social-democratas e trabalhistas na Europa desmoronaram.

CAPÍTULO 4

Reflexões atualizadas sobre movimentos

EDITORES – Como o senhor acha que a iminente ameaça de extinção deve afetar a esquerda e a visão e a estratégia de ativismo? A extinção exige um novo enquadramento de lutas pela justiça? Uma nova militância?

CHOMSKY – A "extinção iminente" não pode ser ignorada. Deve ser um foco constante de programas de educação, organização e ativismo e deve figurar como contexto e pano de fundo de mobilização de todas as outras lutas. No entanto, não pode substituir essas outras preocupações, em parte por causa da decisiva importância de muitas outras batalhas, em parte porque as questões existenciais não podem ser tratadas de maneira eficaz a menos que haja conscientização e compreensão geral acerca de sua urgência. Conscientização e entendimento que pressupõem uma sensibilidade muito mais ampla em relação a tribulações e injustiças que assolam o mundo – um discernimento mais profundo, a inspirar ativismo e dedicação, uma percepção mais aguda e perspicaz quanto a suas raízes e seus vínculos. Não faz sentido pedir militância quando a população não está pronta para ela, e essa disposição deve ser criada por meio de trabalho paciente. Isso pode ser frustrante quando levamos em consideração a urgência das ameaças existenciais, bastante reais. Todavia, frustrantes ou não, essas etapas preliminares não podem ser omitidas.

EDITORES – O senhor acha que os movimentos deveriam focar especificamente a extinção, a exemplo do que a Rebelião da Extinção está fazendo no Reino Unido? Como isso se daria nos Estados Unidos? Como os movimentos existentes devem mudar seu foco em termos de estratégia?

CHOMSKY – A Rebelião da Extinção no Reino Unido tem objetivos louváveis. Nos Estados Unidos, o movimento de base popular Terra em Greve (earth-strike.com) está planejando ações ao longo de todo o ano de 2019 com a finalidade de levar a uma "greve geral mundial para salvar o planeta" em setembro. Outras organizações também desenvolvem planos. Todas essas são iniciativas valiosas, que merecem forte apoio.

Inevitavelmente, o sucesso delas dependerá do aumento do nível de conscientização. Não podemos ignorar as realidades do mundo em que estamos vivendo, um mundo em que metade dos republicanos, de acordo com pesquisas recentes, nega que o aquecimento global esteja acontecendo, e, dos republicanos restantes, uma minguada maioria considera que os humanos têm alguma responsabilidade nisso.

De acordo com pesquisas mais recentes (março de 2018), apenas 25% dos republicanos "consideram que o aquecimento global deve ser uma prioridade alta ou muito alta para o presidente e o Congresso". É um mundo em que notícias sobre a expansão de combustíveis fósseis publicadas com regularidade na imprensa liberal saúdam nossa posição de liderança com implicações para o poder global. Talvez possamos mencionar efeitos ambientais locais de novas áreas de exploração (escassez de água para fazendeiros, por exemplo), mas com apenas uma palavra, se tanto, e no que isso acarreta à vida da próxima geração. A mesma coisa podemos fazer em relação à segunda grande ameaça à sobrevivência. Há pouca repercussão crítica sobre a nova estratégia de Segurança Nacional do governo Trump, que exige trilhões de dólares para assegurar a "supremacia" dos Estados Unidos e a garantia de que o país tem condições de vencer uma guerra contra a China e/ou a Rússia, embora uma guerra com ambos significasse a obliteração de tudo.* Isso foi entusiasticamente apresentado pelo lendário "adulto na sala", a "voz da razão" entre os trumpistas – o general reformado James "cachorro louco" Mattis, secretário de Defesa dos Estados Unidos –, junto com planos para novas armas, bastante desestabilizadoras, e a reversão do lento progresso no sentido de mitigar a grave ameaça nuclear.

Não há como evitar o constante e árduo trabalho de desenvolvimento de conscientização e compreensão. Ações inovadoras e impactantes podem estimular essa conscientização e o reconhecimento da urgência da ação se forem integradas a iniciativas mais amplas. Os contornos gerais são bem fáceis de esboçar; preencher os detalhes com programas e ações específicos é o que conta.

EDITORES – A seu ver, de onde vem a mais vigorosa esperança de solidariedade e acordos internacionais? Existem forças estruturais,

---

* Departamento de Defesa (2018). *Summary of the 2018 National Defense Strategy of the United States of America* [Sumário da Estratégia de Defesa Nacional de 2018 dos Estados Unidos da América]. Disponível em: https://dod.defense.gov/Portals/1/Documents/pubs/2018-National-Defense-Strategy-Summary.pdf; acesso em: mar. 2020.

como uma mudança na natureza da globalização? Há esperança em nações ou instituições específicas? Ou em movimentos sociais globalizados? De que modo eles podem superar o hipernacionalismo do novo regime de autocratas que vai do Brasil, passa pelas Filipinas e chega aos Estados Unidos?

CHOMSKY – Não existe fórmula simples. Para enfrentar as crescentes e destrutivas tendências autocráticas e hipernacionalistas, temos que, primeiro, entender suas raízes. O tema é amplo demais para abordar a fundo aqui, mas há boas evidências, creio, de que um fator substancial são os programas de austeridade neoliberal da geração passada. Eles concentraram a riqueza e minaram o funcionamento da democracia, lançando à deriva grande parte das populações e gerando compreensíveis ressentimento e raiva, que muitas vezes assumiram formas patológicas e transformaram as pessoas em presas fáceis de demagogos. Esses desdobramentos só podem ser contidos e combatidos por meio de movimentos sociais progressistas que ofereçam respostas plausíveis às quase sempre amargas exigências da vida cotidiana e, melhor, apontem o caminho para a necessária mudança social e institucional. Essa deve ser a base para a solidariedade internacional, particularmente em um mundo globalizado, no qual muitos enfrentam semelhantes ameaças à existência decente e têm oportunidades de comunicação e interação. Essas têm sido exploradas de maneira eficaz pelo capital internacional, mas muito menos pelas vítimas de políticas severas. Trata-se de problemas graves a ser confrontados e superados.

EDITORES – O senhor não trata muito de capitalismo neste livro. Na sua opinião, o capitalismo está nos levando à extinção? Precisamos ir além do capitalismo para assegurar a sobrevivência?

CHOMSKY – As variedades do capitalismo de Estado que existem hoje têm por base princípios que não deveriam ser tolerados. Algumas de suas propriedades dominantes, como ignorar externalidades e ser norteado pela busca de crescimento sem se importar com as consequências, são quase garantias de desastre. Os sistemas, porém, são suficientemente flexíveis para oferecer esperança de sobrevivência por meio do desenvolvimento de economias verdes; por exemplo, algo na linha que o economista Robert Pollin explicou com certo grau de detalhe.* Isso é auspicioso, porque no mundo real as condições não estão amadurecidas para mudanças institucionais de larga escala que possibilitem a verdadeira democratização e o controle com participação popular da vida social, econômica e política – ainda que, de fato, sementes desses

---

* Robert Pollin *et al.*, *Green Growth Programs for U.S. States* [Programas de crescimento verde para os Estados Unidos], 2017. Disponível em: https://www.peri.umass.edu/publication/item/1032-green-newdeal-for-u-s-states; acesso em: mar. 2020.

desdobramentos *existam* e possam florescer. Gostemos ou não, as questões urgentes hoje terão que ser confrontadas na conjuntura geral das instituições existentes, ao mesmo tempo que esforços sérios devem ser realizados para nos livrarem de instituições opressivas e permitirem o avanço rumo a mais liberdade, justiça, democracia autêntica, cooperação e ajuda mútua em todas as esferas da vida.

EDITORES – O senhor se concentrou nas principais ameaças à existência humana: mudança climática causada por combustíveis fósseis e um potencial conflito de armas nucleares. Isso parece plausível; no entanto, o senhor também faz alusão a muitas outras fontes de extinção de espécies. Quando esquadrinhamos o cenário, o que sobressai é quanto as ameaças são abrangentes e como as mudanças corretivas envolvem todas as dimensões da vida humana. Como entender o sistema que produz um caráter de tamanha amplitude? Há um sistema? Ou uma multiplicidade de sistemas? Para tornar isso mais concreto, como alguém que se importa com, digamos, o abuso de narcóticos no Cinturão da Ferrugem* compreende os desafios enfrentados por sua comunidade?

---

* Trata-se da área de industrialização mais antiga e mais extensa do país, onde predominam as indústrias siderúrgica, mecânica, metalúrgica, automobilística, petroquímica, alimentícia e têxtil. Abrange os estados do nordeste, dos Grandes Lagos e do meio-oeste dos Estados Unidos. Com a crise econômica

CHOMSKY – O mundo é um lugar complexo, mas nós podemos identificar fatores e estruturas sistemáticos. Vejamos, por exemplo, o abuso de narcóticos. Por que há abuso de drogas no Cinturão da Ferrugem? Por que a expectativa de vida continua a diminuir pela primeira vez desde a Primeira Guerra Mundial e a pandemia de gripe? Por que é particularmente preponderante entre brancos da classe trabalhadora – que foram deixados de lado pelas políticas neoliberais da geração passada, incluindo uma forma específica de globalização que foi moldada de acordo com o interesse da classe de investidores e do capital transnacional? O movimento do abuso de entorpecentes para as políticas regressivas que começaram a tomar forma no fim dos anos 1970, aceleradas por Reagan e seus sucessores, é bastante direto. E, como já mencionei, há equivalentes em outros lugares, na ascensão da "democracia iliberal" e no colapso das forças centristas que dominaram a vida política desde a Segunda Guerra Mundial. Estudos que vão dos Estados Unidos à Suécia e a outros países constataram que a xenofobia, a histeria anti-imigrantes, o racismo e a ascensão da direita ultranacionalista tendem a vir na esteira de angústia econômica e reversão de programas

---

e a fuga das indústrias para outros países em que era mais barato produzir, esse *Manufacturing Belt* (Cinturão da Indústria) começou a ser abandonado e ganhou o nome *Rust belt* (Cinturão da Ferrugem), por causa da imensa quantidade de galpões desocupados em várias cidades. (N.T.)

social-democratas. Então, sim, o mundo é um lugar complexo e há uma infinidade de interações de fatores, mas existem algumas características sistemáticas do mal-estar global, que apontam o caminho para a ação corretiva.

EDITORES – *Muitas propostas estão ganhando popularidade, e talvez a principal delas seja o New Deal Verde* [ambicioso plano ambiental para os Estados Unidos cujo objetivo, entre outros, é reduzir as emissões de carbono no país a zero em dez anos, por meio de ações drásticas que exigirão uma profunda transformação econômica]. *Que tipo de resistência os proponentes devem esperar do poder corporativo, da mídia e dos políticos que para ele trabalham? Quais decisões organizacionais os ativistas progressistas devem tomar em termos da própria coalizão para superar essa resistência?*

CHOMSKY – O principal ponto para ter em mente é que propostas dessa natureza precisam ser bem-sucedidas. *Precisam*; caso contrário, estamos condenados. Algumas das propostas são cuidadosamente concebidas e desenvolvidas de modo a ser usadas como base para a organização, principalmente o trabalho de Pollin no New Deal Verde. É claro que há amplos motivos para esperar resistência corporativa, a partir de evidências da história e da natureza dos mercados do capitalismo de Estado. Mas parece que deixamos para trás os dias em que, em 1988, os executivos da ExxonMobil reagiram à divulgação, por parte de James Hansen, da ameaça de aquecimento global dedicando recursos para engendrar ceticismo ou negacionismo – sabíamos exatamente o que eles estavam fazendo, já que os próprios cientistas da ExxonMobil estavam havia muito tempo entre os primeiros a demonstrar a extrema gravidade das ameaças.

A essa altura as ameaças são tão evidentes que a impressão é que passamos para uma era marcada mais pela cooptação e pela mitigação que pela rejeição total da realidade. Isso aconteceu muitas vezes no passado: as práticas letais da indústria do tabaco, por exemplo. A mudança oferece oportunidades para ativistas, mas eles trilham um caminho atulhado de armadilhas que precisam ser reconhecidas e evitadas. É necessário conceber estratégias para agarrar as oportunidades – deixar de fazer isso é contraproducente –, mas com a devida atenção aos motivos, às intenções e às manipulações dos sistemas de poder. Isso é mais difícil que enfrentar o simples negacionismo, para além de propiciar aberturas à educação e à organização, que devem ser intensificadas. Não há tempo a perder.

EDITORES – O senhor acha que a crise de extinção deveria mudar alguma coisa sobre nossos movimentos sociais? Por exemplo, eles deveriam se coordenar a fim de tornar o trabalho mais eficaz no combate à extinção? Eles precisam se tornar mais globalizados para ajudar a executar acordos climáticos e de armas mais amplos? Eles precisam salientar a conexão entre o poder corporativo e a ameaça de extinção?

CHOMSKY – E que tal todas essas opções?

Para os ativistas, há fortes tentações – compreensíveis, válidas – para dedicar intensos esforços a questões decisivas no foco imediato do trabalho. Contudo, as ligações com outras lutas sociais são reais não apenas em âmbito doméstico, mas em nível global. Todos podem ganhar com iniciativas ponderadas e cuidadosas no sentido de buscar "interseccionalidade" e solidariedade. E todos podem ganhar ao examinar criteriosamente e confrontar as raízes institucionais comuns que, em aspectos significativos, são subjacentes aos problemas, muitas vezes crises, que estão no primeiro plano de determinados engajamentos. O capital é coordenado e globalizado. As lutas contra a injustiça e a opressão devem desenvolver interações e apoio mútuo à própria maneira. Os sonhos de uma verdadeira Internacional não devem desaparecer. E eles ganham impacto esmagador quando reconhecemos as graves ameaças para a vida social organizada que lançaram uma sombra sinistra sobre todas as outras questões.

CAPÍTULO 5

A terceira ameaça
O esvaziamento da democracia

Em 11 de abril de 2019, cerca de trinta meses após sua palestra pré-eleições de 2016, Noam Chomsky voltou à igreja de Old South para falar a uma pequena multidão que lotou o salão; o tema era "Internacionalismo ou extinção".* Depois de começar com uma reflexão pessoal, ele amplia a descrição das ameaças existenciais que a humanidade enfrenta, de modo a incluir o próprio processo político: a

---

* Vídeo e áudio completos deste evento, patrocinado pela Campanha pela Paz, Desarmamento e Segurança Comum, encuentro5, Ação de Paz de Massachusetts e Fundo de Ação Wallace, disponíveis em: http://chomskyspeaks.org; acesso em: mar. 2020.

subversão da democracia pelo uso de combustíveis fósseis, os interesses corporativos e nacionalistas. – Charles Derber, Suren Moodliar e Paul Shannon

Se me permitem, gostaria de começar com uma breve reminiscência de um período que é assustadoramente semelhante aos dias de hoje em muitos aspectos desagradáveis. Estou pensando em oitenta anos atrás, quando escrevi o primeiro artigo sobre questões políticas. É fácil indicar a data: logo após a queda de Barcelona, em fevereiro de 1939.

O artigo era sobre o que parecia ser a inexorável propagação do fascismo mundo afora. Em 1938, a Áustria havia sido anexada pela Alemanha nazista. Alguns meses depois, a Tchecoslováquia foi traída e colocada nas mãos dos nazistas na Conferência de Munique. Na Espanha, as cidades, uma após a outra, sucumbiam às forças de Franco. Em fevereiro de 1939, Barcelona caiu. Era o fim da República Espanhola. A extraordinária revolução popular, a revolução anarquista de 1936, 1937, 1938, já havia sido esmagada com mão de ferro. Parecia que o fascismo se espalharia indefinidamente.

Não é o que está acontecendo hoje, mas, se pudermos tomar emprestada a famosa frase de Mark Twain, "a história não se repete, mas às vezes rima"... São semelhanças demais para ignorar.

Quando Barcelona foi tomada, um enorme fluxo de refugiados partiu da Espanha. A maioria foi para o México, cerca de 40 mil. Alguns rumaram para Nova York, estabeleceram filiais anarquistas na Union Square, sebos de livros de segunda mão na Quarta Avenida. Foi lá que recebi minha primeira educação política, perambulando por essa área. Isso foi oitenta anos atrás. Agora, hoje.

Na época não sabíamos, mas o governo dos Estados Unidos também começava a pensar sobre como a propagação do fascismo poderia ser praticamente incontrolável. Eles não viam isso com o mesmo alarme que vi quando tinha 10 anos de idade. Agora sabemos que a atitude do Departamento de Estado foi bastante ambígua quanto ao que significava o movimento nazista. Havia um cônsul em Berlim, um cônsul dos Estados Unidos em Berlim, que enviava para cá comentários confusos sobre os nazistas, sugerindo que talvez não fossem tão malvados como todo mundo dizia. Ele permaneceu em Berlim até o dia de Pearl Harbor, quando foi retirado de lá – trata-se do famoso diplomata chamado George Kennan. Não é má indicação de uma atitude contraditória em relação a esses acontecimentos.

Na época, não havia como saber, mas logo depois disso, em 1939, o Departamento de Estado e o Conselho de Relações Exteriores começaram a fazer o planejamento para o pós-guerra. Nos anos seguintes, eles presumiram que o mundo seria dividido entre um lado controlado pela Alemanha, um controlado pelos nazistas, a maior parte da Eurásia, e um controlado pelos Estados Unidos, que incluiria o hemisfério ocidental, o ex-Império Britânico – que os Estados Unidos encampariam –, partes do Extremo Oriente. Essas noções, agora sabemos, foram mantidas até os russos virarem a maré. Stalingrado, em 1942 e 1943, e a enorme batalha de tanques em Kursk, um pouco mais tarde, deixaram bem claro que os russos derrotariam os nazistas. O planejamento mudou. O panorama do mundo pós-guerra mudou para o que vimos no último período desde aquela época. Foi há oitenta anos.

    Hoje não estamos enfrentando a ascensão de nada parecido com o nazismo, mas enfrentamos a disseminação do que às vezes é chamado de Internacional ultranacionalista e reacionária, alardeada abertamente por seus defensores, incluindo Steve Bannon, o empresário do movimento. Ele acabou de obter uma vitória: a eleição de Netanyahu em Israel solidificou a aliança reacionária que está sendo estabelecida, tudo isso sob a égide dos Estados Unidos, encabeçado pelo triunvirato Trump-Pompeo-Bolton [Mike Pompeo, secretário de Estado dos Estados Unidos; John Bolton, então conselheiro nacional de Segurança]. Eu poderia pegar emprestada uma expressão de George W. Bush para descrever os três, mas, por educação, não farei isso. A aliança no Oriente Médio consiste nos Estados extremamente reacionários da região confrontando o Irã – a Arábia Saudita, os Emirados Árabes Unidos, o Egito sob a ditadura mais brutal de sua história, Israel bem no centro. Existem graves ameaças na América Latina. A eleição de Jair Bolsonaro no Brasil alçou ao poder o mais extremista, o mais abominável dos ultranacionalistas de direita que agora assolam o hemisfério. Ontem, [o presidente] Lenín Moreno, do Equador, deu um sólido passo para ingressar na aliança de extrema direita ao expulsar Julian Assange da embaixada. Ele logo foi preso pelo Reino Unido e enfrentará um futuro muito perigoso, a menos que haja significativo protesto popular. O México é uma das raras exceções na América Latina a esses desdobramentos. Na Europa ocidental, os partidos de direita estão crescendo, alguns deles de cunho assustador.

Há fatos na contramão. Yanis Varoufakis, ex-ministro das Finanças da Grécia, um indivíduo importante, juntamente com Bernie Sanders, reivindicou a formação de uma Internacional Progressista para fazer frente à rede de direita que está em pleno desenvolvimento. No nível dos Estados, o equilíbrio parece estar esmagadoramente na direção errada, mas os Estados não são as únicas entidades. No nível das pessoas, é bem diferente. Significa uma necessidade de proteger as democracias em funcionamento, aprimorá-las, aproveitar as oportunidades que proporcionam, para os tipos de ativismo que levaram a significativos avanços no passado. Isso pode nos salvar no futuro.

A seguir, quero fazer algumas observações sobre a severa dificuldade de manter e instituir a democracia, as poderosas forças que sempre se opuseram à democracia, a façanha que é de alguma forma recuperar e aperfeiçoar a democracia, e o significado disso para o futuro. Antes, porém, quero dizer algumas palavras sobre os desafios que enfrentamos, a respeito dos quais vocês já ouviram bastante. Não preciso entrar em detalhes. Descrever esses desafios como "extremamente severos" seria um erro. A expressão não sintetiza a enormidade das dificuldades e dos problemas que temos pela frente. E qualquer discussão séria acerca do futuro da humanidade deve começar por reconhecer um fato crucial, o de que a espécie humana está agora diante de uma pergunta que jamais havia surgido na história, uma questão que precisa ser respondida rapidamente: a sociedade sobreviverá por muito tempo?

Há setenta anos temos vivido sob a sombra da guerra nuclear. Quem examina a história pode se surpreender com o fato de termos sobrevivido até agora. Reiteradas vezes chegamos à beira do desastre, que em algumas ocasiões só não ocorreu por questão de minutos. É uma espécie de milagre que tenhamos sobrevivido. No entanto, milagres não continuam acontecendo para sempre. Isso tem que acabar – e logo. A recente Revisão da Postura Nuclear do governo Trump aumenta acentuadamente a ameaça de conflagração, que seria de fato terminal para a espécie.* Precisamos lembrar que essa Revisão da Postura Nuclear foi patrocinada por Jim Mattis, considerado civilizado demais para ser mantido na administração Trump – o que nos dá uma ideia do tipo de coisa que pode ser tolerado no mundo Trump-Pompeo-Bolton.

Havia três grandes tratados sobre armas: o Tratado ABM, Tratado sobre Mísseis Antibalísticos; o Tratado INF, tratado de desarmamento nuclear sobre mísseis de alcance intermediário; e o novo Tratado Start, Tratado de Redução de Armas Estratégicas.

---

* Gabinete do Secretário de Defesa *Nuclear Posture Review* [Revisão da Postura Nuclear], 2018. Disponível em: https://media.defense.gov/2018/feb/02/2001872886/-1/-1/1/2018-NUCLEAR-POSTURE-REVIEW-FINAL-REPORT.PDF>; acesso em mar. 2020.

Os Estados Unidos se retiraram do Tratado ABM em 2002. E quem acredita que mísseis são armas de defesa está iludido quanto à natureza desses sistemas.

Os Estados Unidos acabam de anunciar sua saída do Tratado INF, firmado por Gorbachev e Reagan em 1987 e responsável por reduzir drasticamente a ameaça de guerra na Europa, que se alastraria depressa. Os antecedentes da assinatura desse tratado foram as manifestações que vocês viram retratadas no filme [acesse http://ChomskySpeaks.org]. Gigantescas manifestações públicas foram o pano de fundo que levou a um tratado que fez diferença significativa. Nesse e em muitos outros casos um importante ativismo popular fez enorme diferença. As lições são óbvias demais para enumerar. A administração Trump acaba de se retirar do Tratado INF; os russos saíram pouco depois.

Ao examinar mais de perto, vemos que cada um dos lados tem uma espécie de versão plausível para alegar que o oponente não cumpriu o tratado. Para quem quiser um panorama de como os russos veem a questão, o *Bulletin of Atomic Scientists*, principal periódico sobre questões referentes a controle de armas, publicou um artigo algumas semanas atrás, de autoria de Theodore Postol, apontando quanto são perigosas as instalações estadunidenses de mísseis antibalísticos na fronteira russa – e quanto os russos podem julgar que são.* Note, *na fronteira russa*. As tensões estão

---

* Theodore A. Postol, "Russia May Have Violated the inf Treaty. Here's How the United States Appears to Have Done the Same" [A Rússia pode ter violado

se avolumando. Ambos os lados realizam ações provocativas. Em um mundo racional, o que aconteceria seriam negociações entre ambos, com especialistas independentes para avaliar os ataques e as acusações que cada um faz contra o outro, levando a uma resolução dessas desavenças, de modo a restaurar o tratado. Isso seria em um mundo racional. Infelizmente, não é o mundo em que vivemos. Nenhum esforço foi feito nessa direção. E nada será feito, a menos que haja pressão significativa.

Resta o novo Tratado Start, já definido pela figura atualmente no poder (que com muita modéstia descreveu a si mesmo como o maior presidente da história dos Estados Unidos) como o pior tratado da história da humanidade, a costumeira designação que ele usa para qualquer coisa que tenha sido feita por seus antecessores. Trump acrescentou que temos de nos livrar do tratado. Se o acordo vier de fato a ser renovado logo após a próxima eleição, há muita coisa em jogo. O tratado reduziu significativamente o número de armas, a um nível acima do que deveria estar, mas bem abaixo do que era antes. E isso poderia continuar.

Nesse meio-tempo, o aquecimento global prossegue seu curso inexorável. Durante este milênio, cada ano, com uma única exceção, foi mais quente que o anterior. Há trabalhos científicos

---

o Tratado INF. Eis aqui como os Estados Unidos parecem ter feito o mesmo]. *Bulletin of Atomic Scientists*, 14 de fevereiro de 2019. Disponível em: https://thebulletin.org/2019/02/russia-may-have-violated-the-inf-treaty-heres-how-the-unitedstates-appears-to-have-done-the-same/; acesso em: mar. 2020.

recentes, de autoria de James Hansen e outros, que indicam que o ritmo do aquecimento global, que vem se acelerando desde meados de 1980, pode estar passando do crescimento linear para o exponencial, o que significa que dobra a cada par de décadas. Já estamos nos aproximando das condições de 125 mil anos atrás, quando o nível do mar era aproximadamente 7,6 metros mais alto que hoje. Com o derretimento, o rápido derretimento, dos imensos campos de gelo da Antártida, é possível alcançar esse ponto. As consequências disso são quase inimagináveis. Não vou nem tentar descrevê-las, mas vocês podem entender o que significa.

Enquanto isso acontece, lemos com frequência na imprensa relatos eufóricos de como os Estados Unidos avançam na produção de combustíveis fósseis. Agora ultrapassamos a Arábia Saudita. Estamos na liderança da produção de combustíveis fósseis. Os grandes bancos, JPMorgan Chase e outros, despejam dinheiro em novos investimentos em combustíveis fósseis, incluindo os mais perigosos, como as areias de alcatrão canadenses. E tudo é apresentado com euforia, emoção. Estamos alcançando a "independência energética". Podemos controlar o mundo, determinar o uso de combustíveis fósseis no mundo.

Apenas uma palavra sobre qual é o significado disso, que é bastante óbvio. Não é que os jornalistas e os comentaristas não saibam do que se trata, que os executivos-chefes dos bancos não saibam a verdade. *Claro que sabem.* No entanto, são pressões institucionais das quais é extremamente difícil se livrar. Tentem se colocar na posição, digamos, do presidente do JPMorgan Chase, o maior dos bancos, que está gastando polpudas somas em combustíveis fósseis. Ele sabe tudo o que vocês todos sabem com relação ao aquecimento global. Não é segredo nenhum. Mas quais são as opções? Basicamente, ele tem duas: uma é fazer exatamente o que está fazendo. A outra é renunciar e ser substituído por alguém que vai fazer exatamente o que ele está fazendo. Não é um problema individual. É um problema institucional, que pode ser enfrentado, mas apenas sob uma tremenda pressão pública.

Recentemente, vimos, de modo muito dramático, como é possível encontrar a solução. Um grupo de jovens ativistas ambientais, o Movimento Sunrise [Nascer do Sol], organizado, chegou a realizar um protesto em gabinetes da Câmara dos Deputados dos Estados Unidos e despertou certo interesse das novas figuras progressistas que conseguiram ser eleitas para o Congresso. Sob forte pressão popular, a congressista Alexandria Ocasio-Cortez, acompanhada pelo senador Ed Markey, colocou o New Deal Verde na pauta de prioridades. Essa é uma conquista extraordinária. Obviamente, recebe ataques hostis de todos os lados, mas não importa. Alguns anos atrás, era inimaginável que isso fosse discutido. Como resultado do ativismo desse grupo de jovens, a questão agora está bem no centro da agenda. O plano ambiental tem que ser implementado, de uma forma ou de outra. É essencial para a sobrevivência, talvez não exatamente da forma como foi apresentado, mas em alguma versão modificada. Uma tremenda mudança alcançada pelo engajado comprometimento de um pequeno grupo de jovens. Isso nos diz o que pode ser feito.

Enquanto isso, o Relógio do Juízo Final do *Bulletin of Atomic Scientists* de janeiro passado foi adiantado para dois minutos para meia-noite. Desde 1947, o desastre cabal nunca esteve tão próximo. No anúncio do ajuste – a nova marcação do horário do relógio –, a equipe de cientistas mencionou as duas maiores e conhecidas ameaças: a ameaça da guerra nuclear, que está aumentando, e a ameaça do aquecimento global, que aumenta ainda mais. E pela primeira vez acrescentou uma terceira: o enfraquecimento da democracia.* Algo bastante apropriado, porque as democracias em pleno funcionamento oferecem a única esperança de superação dessas ameaças. Elas não serão sobrepujadas pelas principais instituições, estatais ou privadas, agindo sem maciça pressão pública, o que significa que os meios para o funcionamento da democracia devem ser mantidos vivos, usados como fez o Movimento Sunrise, da maneira como fizeram as grandes manifestações em massa no início dos anos 1980 e do modo como continuamos a fazer hoje.

---

* Nas palavras do *Bulletin*, "essas grandes ameaças – armas nucleares e mudanças climáticas – foram exacerbadas no ano passado pelo aumento do uso da guerra de informações para minar a democracia em todo o mundo, ampliando o risco dessas e de outras ameaças e colocando o futuro da civilização em extraordinário perigo. Não há nada de normal na complexa e assustadora realidade que acabamos de descrever". Disponível em: https://thebulletin.org/doomsday-clock/; acesso em: mar. 2020.

CAPÍTULO 6

Para saber mais

Noam Chomsky passou a vida inteira documentando acontecimentos e, por ser um intelectual público entusiasmado, suas obras são um repositório ímpar para o ativismo e a análise da contemporaneidade. A investigação mais esmiuçada de sua obra é justificada por muitas razões, das quais a mais importante é o caráter multifacetado dos engajamentos de Chomsky. Em seus textos, encontram-se profundidade histórica e clareza analítica, além de uma ampla lente que gira em movimento panorâmico pelos diversos pomos da discórdia da sociedade. Revelam, ainda, as muitas conexões entre eles e, às vezes, as obscuras estruturas políticas e econômicas subjacentes. Dois pontos de partida on-line bem organizados e pesquisáveis são:

- site do MIT (Instituto de Tecnologia de Massachusetts, unBox, The Chomsky Archive [O Arquivo Chomsky]: https://libraries.mit.edu/chomsky/.
- The Official Noam Chomsky Site [site oficial de Noam Chomsky], fundado por Pablo Stafforini e organizado por Valeria Chomsky: http://chomsky.info.

Um ponto de partida adicional para mergulhar no pensamento de Noam Chomsky é examinar *suas* fontes: as muitas obras a que ele fez referência e compartilhou com seu público como esforços exemplares. A Lista de Chomsky (The Chomsky List, http://chomskylist.com) adota esse enfoque e se mostra um recurso valioso.

Ela também agrega valor ao fornecer uma *pequena lista de favoritos* do que um dia pode ser chamado de "os clássicos chomskianos da teoria social e política". Nessa lista estão incluídos *Manufacturing Consent: The Political Economy of the Mass Media* (em coautoria com Edward S. Herman, 1988) [*A manipulação do público: política e poder econômico no uso da mídia*. São Paulo: Futura, 2003], sobre a estrutura institucional de mídia e propaganda; *American Power and the New Mandarins: Historical and Political Essays* (1969) [*O poder americano e os novos mandarins*, trad. Clóvis Marques. Rio de Janeiro/São Paulo: Record, 2006], primeiro livro "político" de Chomsky, que estabelece sua análise da relação dos Estados Unidos com o restante do mundo; *For Reasons of State* (1973) [*Razões de Estado*. Rio de Janeiro/São Paulo: Record, 2008], que retoma esses temas e é a obra definitiva de

Chomsky sobre a Guerra do Vietnã; *Government in the Future* (1970) [*O governo no futuro*. Rio de Janeiro/São Paulo: Record, 2007], em que Chomsky apresenta sua visão de um futuro socialista e libertário e seus contrastes com as formas estatistas de socialismo e capitalismo; *Hegemony or Survival? America's Quest for Global Dominance* (2003) [*Hegemonia ou sobrevivência – o sonho americano de domínio global*. Rio de Janeiro: Campus, 2004], que explora muitos dos temas apresentados no presente livro e vincula as perspectivas futuras para como a humanidade lida com uma classe dominante que militariza todas as dimensões da existência humana; *Fateful Triangle: The United States, Israel and the Palestinians* (1999) [*Triângulo fatídico: os Estados Unidos, Israel e os palestinos*, sem edição em português], obra definitiva para estabelecer a crítica de Chomsky acerca das relações entre Estados Unidos e Israel e as razões de ser solidário para com a luta dos palestinos por liberdade.

Muitos livros também foram escritos sobre Chomsky e seu modo de pensar. Entre os melhores, um que integra o trabalho científico de Chomsky em linguística com seu pensamento político e social: o de James McGilvray, *Chomsky: Language, Mind and Politics* (2. ed., 2013) [*A ciência da linguagem – conversas com James McGilvray*. São Paulo: Editora da Unesp, 2014]. McGilvray também editou uma pesquisa essencial sobre o pensamento de Chomsky, *The Cambridge Companion to Chomsky* (2. ed., 2017) [*Manual Cambridge de Chomsky*, sem edição em português]. *Chomsky's Politics*, de Milan Rai (1995) [*A política de Chomsky*, sem edição em português] também fornece um panorama do pensamento político desse sociólogo e sua recepção na cena intelectual estadunidense. *The Chomsky Effect: A Radical Work Beyond the Ivory Tower* (2007) [*O efeito Chomsky: uma obra radical além da Torre de Marfim*, sem edição em português] situa a obra política dele em seu contexto político, revelando, assim, a singular combinação de argumentos e provocação ativista que caracteriza Chomsky.

Vários documentários ganharam veiculação merecidamente ampla. Os mais conhecidos são *Noam Chomsky And The Media: Manufacturing Consent* [*Noam Chomsky e a mídia: o consenso fabricado*], dos cineastas Mark Achbar e Peter Wintonick, de 1992; e *Requiem for the American Dream – Noam Chomsky and the Principles of Concentration of Wealth and Power* [*Réquiem para o sonho americano – reflexão sobre a desigualdade social*], do diretor Peter Hutchison, de 2015.*

---

* Veja também *Réquiem para o sonho americano: os dez princípios de concentração de renda e poder*. Trad. Milton Chaves de Almeida. Rio de Janeiro: Bertrand Brasil, 2017. (N.T.)

Índice remissivo

ABM, Tratado (Tratado sobre Mísseis Antibalísticos) 110, 111
abuso de narcóticos 99, 100
Achbar, Mark 121
Agência de Proteção Ambiental 74
Alemanha
    regime nazista na 13, 106-108
    unificação da 54
    mísseis estadunidenses na 51, 52
Antropoceno 30, 31, 39, 40

aquecimento global ver mudança climática
Arábia Saudita 108, 113
Arkhipov, Vasili 33, 5
armas nucleares
    ativismo contra 59, 67, 68
    na Guerra Fria 49, 50
    eliminação das 48, 49, 65
    iranianas 85

mobilização popular contra as 59
  na fronteira russa 53, 54, 56, 111
  pequenas 66
  ameaça das 61, 64, 96
  e o governo Trump 110
  zonas livres de armas nucleares 47, 48, 64
Assange, Julian 108
ativismo
  e jornalismo 94, 109, 111
  popular; ver também movimentos sociais 59, 111
  vínculos entre lutas no 94
Áustria 49, 65, 106

Baker, James 54-56, 68
Bangladesh 41
Bannon, Steve 108
Barsky, Robert 120
base industrial de defesa 58
Blair, Bruce 49
Bolsonaro, Jair 108
Brasil 49, 65, 97, 108
Burnham, Walter Dean 91
Bush, George H. W. 46, 54-56, 58, 68
Bush, George W. 108

capitalismo 98, 101, 119
Capitalistoceno 31
carbono, emissões de 101
Cheney, Dick 46, 85
Chenoweth, Erica 87
China 17, 18, 80, 96,
Chomsky, Noam,
  mais sobre 117-120
Churchill, Winston 38
Clinton, Bill 56
Clinton, Hillary 53, 66, 67, 89,
combustíveis fósseis 30, 43, 83, 95, 99, 106, 113, 114
conscientização, desenvolvimento da 94, 95
cooperação internacional 32, 38
crise dos mísseis de Cuba 32

democracia
  autêntica 99
  iliberal 100
  proteger a 109
  enfraquecimento da 115
derretimento de geleiras 41
desobediência civil 69, 70, 87

Diego Garcia 47
Draper, laboratório 34, 83

economias verdes 98
Egito 108
Einstein, Albert 38
elites mais racionais ou esclarecidas 33
Emirados Árabes Unidos 108
era nuclear 38, 39, 46, 50, 52
Estados Unidos
    ação militar dos 57
    atraso cultural dos 71
    como rincão culturalmente atrasado 60
    e combustíveis fósseis 106, 113
    e a Alemanha nazista 106
    e ameaça da Otan para a 54-57, 65, 68
    e a ameaça nuclear 53, 96
    na Segunda Guerra Mundial 72
    refém de interesses privados 32, 58
evento Chomsky 28-28, 34, 120
externalidades, ignorar as 98
extinção, ameaças de 29, 37, 93, 103

fascismo 19, 106, 107
França 13, 80, 89
Fundo de Ação Wallace 35, 105

globalização 97, 100
Global Zero 49
Gorbachev, Mikhail 54-56, 58, 65, 68, 111
Grã-Bretanha 47, 48, 64, 80, 90
"Grande aceleração" 30
Guerra civil espanhola 8
Guerra do Vietná 8, 25, 70, 119
Guerra Fria 35, 50, 55, 57, 81

Hansen, James 102, 113
HFCs (hidrofluorocarbonetos) 42, 43
hipernacionalismo ver ultranacionalismo
Hiroshima, ataque nuclear 8
Hochschild, Arlie 73-76
Huntington, Samuel 57, 58
Hutchison, Peter 120

Igreja de Old South (Boston) 25, 105
independência energética 44, 113
Índia 14, 42, 43, 46, 82

INF, Tratado (tratado de desarmamento nuclear sobre mísseis de alcance intermediário) 110-112
Inglaterra ver Grã-Bretanha
iniciativas em educação crítica 59
Internacional progressista 109
interseccionalidade 103
Irã 11, 46, 47, 64, 85, 108
Iraque 46, 47, 64
Israel
    armas nucleares 46, 48, 65, 82
    e aliança reacionária 108

jornalismo 67, 83

Kasich, John 43
Kennan, George 56, 107
Kissinger, Henry 46, 48, 49, 85, 86

Lincoln, laboratório 84
Louisiana 73, 76, 77

Madison, James 31, 45
Markey, Ed 114
Matsumiya, Ray 79

Mattis, Jim "Cachorro Louco" 96, 110
McGilvray, James 119
Meir, Golda 46
México 49, 106, 109
militância 24, 93, 94
mísseis 33, 51-53, 66, 70, 81, 110, 111
Moore, Jason 31
Moreno, Lenín 108
Movimento Sunrise 114, 115
movimentos sociais 97, 102
mudança climática
    cooptação e 102
    mitigação da 102
    desespero em torno da 83
    mobilização contra a ameaça de 93

Nações Unidas 38, 42, 49, 50, 65
nazismo 108
não eleitores 91
Não Proliferação Nuclear, Tratado de (TNP) 46, 80, 82
não violência 87
neoliberalismo 19
Netanyahu, Binyamin 108

New Deal Verde 101, 114
New York Times, The 25, 66, 67
Nixon, Richard 46
Nunn, Sam 48, 49

Oriente Médio
    zona livre de armas nucleares no 47, 48, 64
    forças de intervenção dos Estados Unidos no 58
Otan 54-57, 65, 68, 89
Obama, Barack 48, 53, 56, 64, 66
Ocasio-Cortez, Alexandria 114
Operação Able Archer 32, 51, 53

palestinos 119
Paquistão 42, 46, 82
Paris, Acordo do Clima de 42
Partido das Famílias de Trabalhadores 91
Partido Democrata 90, 91
Partido Republicano 31, 42, 44
Perroots, Leonard 52
Perry, William 48-50
pesquisas financiadas pelo Pentágono no MIT 34, 84

Petrov, Stanislav 32, 52
Pollin, Robert 98, 101
Postol, Theodore 111
Pramas, Jason 83

Rai, Milan 119
Reagan, Ronald 17, 48, 111
Rebelião da Extinção 94
Relógio do Juízo Final 10, 50-52, 115
Rumsfeld, Donald 46, 85
Rússia
    e armas nucleares 53, 54, 56, 80, 96

Saddam Hussein 47
Sakwa, Richard 56
Sanders, Bernie 75, 89, 109
Shawn, Wallace 63, 105
Shifrinson, Joshua Itzkowitz 55
Shultz, George 33, 48
sistema eleitoral 90
sistema energético global 57
solidariedade
    internacional 96, 97, 103
Start, Tratado (Tratado de Redução de Armas Estratégicas) 110, 112

terceiro partido 89-91
Terra em Greve (earth-strike.com) 94
Tribunal Internacional de Justiça
 (Corte Internacional de Justiça) 49
triunvirato Trump-Pompeo-Bolton
 108
Trump, Donald
 e mudança climática 29, 43,
 70,71, 99
 e voto no mal menor 88, 89
 Estratégia de Segurança Nacional
 58, 95
 e ameaças nucleares 29
 e tratados nucleares 110, 111
 apoiadores de 71, 72, 75
Twain, Mark 106

Ucrânia 56
ultranacionalismo 100, 108
União Soviética 33, 54, 57

Varoufakis, Yanis 109
voto no mal menor 88, 89

Wintonick, Peter 120

**Acreditamos
nos livros**

Este livro foi composto em Adobe Garamond Pro e
Bliss Pro e impresso pela Geográfica para a
Editora Planeta do Brasil em abril de 2021.